D1171765

Bernard Flebus *&* **Line Descoteaux**
Propriétaires de « Les Chocolats Martine »

TOUT *simplement* BON

Recettes inspirées des

PRODUITS RÉGIONAUX

de l'Abitibi-Témiscamingue

ÉDITIONS AILÉES

LES ÉDITIONS Z'AILÉES
22, rue Ste-Anne
C.P. 6033
Ville-Marie (Québec)
J9V 2E9
Téléphone : 819-622-1313
Télécopieur : 819-622-1333
www.zailees.com

DISTRIBUTION
DIFFUSION RAFFIN
29, rue Royal
Le Gardeur (Québec)
J5Z 4Z3
Téléphone : 1-800-361-4293

Infographie : Les Éditions Z'ailées

Maquette de la couverture : Les Éditions Z'ailées

Photographie et direction artistique : Line Descoteaux

Auteur : Bernard Flebus

Dépôt légal : 2007
Bibliothèque nationale du Québec
Bibliothèque nationale du Canada

ISBN : 978-2-923574-12-7

Si vous avez des questions ou des commentaires,
vous pouvez communiquer avec Bernard Flebus en
visitant le www.chocolatsmartine.com

Index

Mot de l'auteur

Chère lectrice et cher lecteur,

Depuis six ans, la Foire gourmande de l'Abitibi-Témiscamingue et du Nord-Est ontarien se tient à Ville-Marie. Au-delà de ces trois jours de festivités où les produits régionaux sont à l'honneur, je désire continuer de les célébrer, les faire connaître et les introduire dans votre cuisine quotidiennement.

Par l'entremise de ce livre, j'espère que ce sera chose faite. Vous découvrirez des créations et des adaptations de certaines recettes, mettant toujours en vedette nos produits régionaux.

L'idée de ce livre est née lors d'un voyage en France, en Dordogne exactement, alors que nous mangions les pommes de terre du jardin de ma mère, fraîchement déterrées par ma fille, Anaïs, deux heures plus tôt. Elles accompagnaient des cailles aux girolles, ainsi qu'une salade et un petit bergerac « sorti de derrière les fagots ».

Tous ces ingrédients provenaient des alentours de la maison. En voyant ma fille, Justine, qui avait tout juste un an à l'époque, se régaler, et Anaïs, qui n'en finissait plus de louanger ma mère sur la qualité de ses pommes de terre persillées, j'ai eu le goût d'arrêter le temps. Comme je n'ai pas trouvé la recette de ce moment délicieux, je me suis dit qu'un recueil de cuisine me ramènerait toujours à ce moment inoubliable.

J'en profite pour remercier les agrotransformeurs, sans qui ce livre n'aurait aucune raison d'être. Je vous remercie, vous, le public, qui année après année, démontrez un intérêt grandissant pour ce qui se prépare chez nous. Enfin, merci à Line, ma bien-aimée, qui m'a soutenu tout au long de ma démarche et a su rendre, à travers la photographie de chaque plat, l'émotion que je voulais vous partager lorsqu'on cuisine pour les gens que l'on aime.

Je voudrais aussi dire un gros merci à ma principale source d'inspiration, ma mère, que je vois encore cuisiner sans se compliquer la vie, mais avec de bons produits, ce qui aujourd'hui me guide dans ma démarche.

Finalement, je voudrais dédier ce livre à mon grand-père paternel qui a su, dès mon plus jeune âge, me communiquer l'amour de la bonne cuisine et à mon grand-père maternel, pour qui la viande et la charcuterie n'avaient aucun secret.

Merci à vous et bonne cuisine,

Bernard Flebus

Préface

D'aussi loin que je me souvienne, je « baigne » dans le monde alimentaire. Cadette d'une famille de 13 enfants, ma mère était une cuisinière dans l'âme; sa plus petite tablée comptait une dizaine de personnes. Imaginez lorsqu'elle recevait... Ma mère a débuté un service de traiteur et m'a emmenée, dès l'âge de cinq ans, à tous les buffets qu'elle a servis. Les tablées sont ainsi devenues de 100, 200, 300 et même 1 300 personnes!

En 1993, lorsque j'ai rencontré Bernard, je suis non seulement tombée sous le charme, mais j'ai également découvert un passionné de cuisine. En 1997, nous avons acheté « Les Chocolats Martine » et, en 2002, nous décidions de fonder la Foire gourmande de l'Abitibi-Témiscamingue et du Nord-Est ontarien.

Depuis quelques années, Bernard prépare ce livre. Il essaie, invente et teste des recettes à base de produits régionaux. Pour ma part, cuisiner n'est pas ma force; c'est même une faiblesse, mais je suis une goûteuse à l'esprit critique. Quelle tâche extraordinaire lorsque le cuisinier est Bernard Flebus!

Le monde de l'agrotransformation est un univers de saveurs. Grâce à ce livre, j'espère que vous le découvrirez et que vous aurez, vous aussi, le goût d'essayer ou d'inventer des recettes à base de produits régionaux.

Je tiens à féliciter mon cuisinier préféré, Bernard. Écrire un livre de recettes est, à mon avis, un travail colossal. Merci de m'avoir laissé carte blanche pour les photos et merci de partager ce rêve avec moi.

Line Descoteaux

Table des équivalences

Système impérial	Système métrique
150 °F	70 °C
200 °F	100 °C
250 °F	120 °C
300 °F	150 °C
350 °F	180 °C
400 °F	200 °C
450 °F	230 °C
500 °F	260 °C

0,5 oz	15 g
1 oz	30 g
2 oz	60 g
3 oz	90 g
4 oz	120 g
5 oz	150 g
0,5 lb	225 g
1 lb	454 g
1,5 lb	680 g
2 lb	907 g
2,2 lb	1 kg
2,5 lb	1,13 kg
3 lb	1,36 kg

1 cuillère à thé	5 ml
1 cuillère à soupe	15 ml
¼ tasse	65 ml
⅓ tasse	85 ml
½ tasse	125 ml
⅔ tasse	170 ml
¾ tasse	190 ml
1 tasse	250 ml
1 ½ tasse	375 ml
2 tasses	500 ml

lexique

Bain-marie :   Plonger dans l'eau bouillante un récipient contenant des aliments afin de les cuire doucement.

Blanchir :   Déposer un aliment dans l'eau bouillante quelques minutes afin de le précuire.

Clarifier (le beurre) :   Faire chauffer le beurre jusqu'à ce qu'une mousse se forme, puis enlever cette mousse à l'aide d'une cuillère.

Colorer :   Faire revenir des aliments jusqu'à ce qu'ils changent de couleur par l'action de la chaleur.

Confire :   Cuire lentement les aliments dans du gras ou du sucre en vue de leur conservation.

Déglacer :   Ajouter un liquide dans la poêle afin de récupérer les sucs de cuisson.

Girafe :   Outil servant à broyer et à homogénéiser les aliments cuits.

Monter :   Fouetter une préparation afin qu'elle prenne du volume en y ajoutant de l'air.

Réduire :   Porter à douce ébullition une préparation et faire évaporer l'eau afin qu'elle soit davantage concentrée.

Réserver :   Mettre de côté une préparation afin de l'utiliser plus tard dans la recette.

Roux :   Préparation à base de farine et de beurre qui sert à lier des sauces.

Suer :   Ôter l'eau d'un légume en le chauffant doucement dans un corps gras.

liste des agrotransformeurs

Agrotransformeur	Provenance	Téléphone	Produits
Abattoir Boucherie Aubin et Fils	Palmarolle	819-787-2559	Viandes régionales
Au Grenier des Saveurs	Val-d'Or	819-874-4777	Boucherie, charcuterie artisanale, fromagerie
Bioetik	Rouyn-Noranda	819-762-5611	Barres énergétiques
Boucherie Le Gourmet	Duhamel-Ouest	819-629-2042	Diverses coupes de viande
Boulangerie Normétal inc.	Normétal	819-788-2803	Boulangerie et pâtisseries
Boulangerie Pâtisserie Linda inc.	Ville-Marie	819-622-1481	Boulangerie et pâtisseries
Brasserie Belgh Brasse	Amos	819-732-6519	Bière
Capri-O-Lait	Nédélec	819-728-2557	Fromage de chèvre de lait cru
Cassiro inc.	Taschereau	819-796-3395	Gelée, sirop et tartinades de cassis
Charcuterie du Nord	Val-d'Or	819-824-6552	Saucisses Kolbassa
Chocolats Martine	Ville-Marie	819-622-0146	Chocolat et pâtisseries
Cuisine Soleil Bio Santé	Destor	819-637-2637	Céréales (sarrazin, quinoa), dessert, farine
Délices du Berger	St-Bruno-de-Guigues	819-728-2566	Agneau
Domaine des Ducs	Duhamel-Ouest	819-629-3265	Vin
Érablière Au P'tit Calain	Fugèreville	819-748-2072	Produits de l'érable
Ferme avicole Paul Richard & fils	Rivière-Héva	819-757-4419	Oeufs
Ferme Lacroix & Frères	St-Eugène-de-Guigues	819-785-3488	Pommes de terre
Érablière L. Lapierre	St-Édouard-de-Fabre	819-634-2131	Produits de l'érable
Ferme agricole Opasatika Farm Inc.	Opasatika	705-369-2010	Champignons jumbos, sélects, boutons, réguliers
Ferme du Geai Bleu	St-Bruno-de-Guigues	819-728-2441	Bœuf Highland
Ferme Lunick	St-Eugène-de-Guigues	819-785-2171	Production de pommes de terre
Ferme Nordvie	St-Bruno-de-Guigues	819-728-2225	Fragaria, Frasil et Racine Barbare
Ferme Paulannie	Lorrainville	819-625-2067	Sanglier
Ferme Valjack	St-Eugène-de-Guigues	819-785-3461	Carottes
Fromagerie Chèvrerie Dion	Montbeillard	819-797-2617	Fromage de lait de chèvre

liste des agrotransformeurs

Ken's Fresh Cut Meats	North Bay	705-476-1830	Bavarian meat
La Boîte à Lunch	Rouyn-Noranda	819-764-4556	Galettes, muffins, sucre à la crème, etc.
La Fraisonnée inc.	Clerval	819-783-2314	Tartinades variées
Les oeufs Francaye	Fugèreville	819-748-2072	Oeufs de caille
La Vache à Maillotte	La Sarre	819-333-1156	Fromages
La Vache qui scie	Angliers	819-949-2299	Lanières de veau biologique (Certifié bio)
Le Fromage au Village inc.	Lorrainville	819-625-2255	Fromages
Le Rucher des lilas	St-Mathieu d'Harricana	819-732-3943	Miel
L'Éden Rouge	St-Bruno-de-Guigues	819-728-2622	Tomates et concombres de serre
Les jardins d'Amélie	Rouyn-Noranda	819-768-2323	Pousses et germinations
Les Jardins de l'Île	Duhamel-Ouest	819-622-0248	Légumes frais et transformés
Les Produits Peluso	Rouyn-Noranda	819-762-5076	Terrines, saucisses fraîches
Les Saucisses du Lac	Rouyn-Noranda	819-797-3069	Saucisses à partir d'ingrédients régionaux
Les Serres Coop. de Guyenne	Guyenne	819-732-0456	Tomates de serre
L'Ungava gourmande	Chibougamau	418-748-8114	Gelée, coulis et sirop
Marché du Fermier	Rouyn-Noranda	819-764-9693	Bleuets sauvages, fraises, tomates et concombres
Miel Abitémis	St-Bruno-de-Guigues	819-728-2087	Miel
Miellerie de la Grande Ourse	St-Marc-de-Figuery	819-727-1920	Miel
Mondialiment	Val-d'Or	819-874-1136	Rouleaux impériaux, sauce impériale, etc.
Poissonnerie Témis	St-Bruno-de-Guigues	819-728-2949	Esturgeon fumé, caviar de corégone, etc.
Pommes de terre du Témis.	St-Eugène-de-Guigues	819-785-3151	Pommes de terre
Verger des Tourterelles	Ville-Marie	819-622-0609	Sorbets, tartinades, sirop et coulis
Viandes Bisons du Nord	Earlton	705-563-2206	Viande de bison de pâturage et produits transformés

Index
hors-d'oeuvre

Hors-d'oeuvre

Aspic de tomates de Guyenne

Voici une recette toute simple qui met en valeur le bon goût des tomates fraîches. Nous avons la chance d'avoir, en région, les tomates de Guyenne disponibles à l'année.

Cette entrée froide peut être uniquement arrosée de vinaigre balsamique et d'huile d'olive, offerte avec un bon croûton de pain, mais rien ne vous empêche de la servir comme légume d'accompagnement pour une viande grillée.

Fait intéressant, le basilic est l'une des rares herbes aromatiques à perdre sa saveur quand on le cuit; voilà pourquoi il est ajouté à la fin de la recette.

INGRÉDIENTS
    4 tomates de Guyenne
    1 piment
    1 gousse d'ail
    persil frais (une belle branche)
    basilic frais (environ 7 feuilles)
    ⅓ de tasse (85 ml) d'huile d'olive
    0,7 once (20 g) de gélatine
    sel, poivre

- Ébouillantez les tomates, pelez et broyez-les au moulin à légumes.
- Chauffez, dans une casserole, un quart des tomates broyées avec la gélatine.
- Arrêtez la cuisson dès qu'il y a ébullition.
- Ajoutez le reste des tomates broyées ainsi que l'ail, le piment, le persil et le basilic, que vous aurez finement hachés. Ajoutez l'huile.
- Salez, poivrez et versez dans quatre ramequins.
- Réfrigérez au moins trois heures avant de servir.

Aumônière de jambon aux champignons d'Opasatika

Les champignons blancs d'Opasatika poussent près de Kapuskasing, en Ontario. Une aumônière est une crêpe dans laquelle on dépose une préparation salée ou sucrée, refermée comme un balluchon et ficelée avec de l'oignon vert, dont la cuisson se termine au four. Vous pouvez remplacer les crêpes par des feuilles de pâte phyllo. La texture est différente, mais la présentation est aussi belle.

INGRÉDIENTS

- 4 crêpes ou 8 feuilles de pâte phyllo
- 3,2 onces (100 g) de fromage Allegretto de la Vache à Maillotte râpé
- 7 onces (200 g) de jambon maigre en tranches
- 1 livre (454 g) de champignons d'Opasatika
- 1 once (30 g) de farine
- 1,7 once (50 g) de beurre
- 1 tasse et 3 cuillères à soupe (300 ml) de lait

- Faites cuire quatre crêpes.
- Pour faire la béchamel, faites fondre le beurre dans un poêlon puis versez ensuite la farine. Mélangez au fouet pour obtenir une texture homogène, puis ajoutez le lait.
- Amenez à ébullition, ajoutez l'Allegretto râpé, salez et poivrez.
- Pendant ce temps, nettoyez vos champignons et faites-les revenir dans le beurre. Une fois cuits, versez-les dans la béchamel. Ajoutez le jambon coupé en morceaux.
- Laissez refroidir votre mélange avant de servir; la manipulation sera plus facile.
- Étalez une crêpe sur le plan de travail et versez un quart de la préparation au centre.
- Refermez comme s'il s'agissait d'un balluchon et attachez avec une mince tige d'oignon vert ou avec un cure-dents. Placez sur une plaque graissée et enfournez 15 minutes à 350 °F (180 °C).

Crêpes

INGRÉDIENTS

- 8 onces (250 g) de farine
- 4 œufs Richard
- 2 tasses (500 ml) de lait
- 2 cuillères à soupe (30 ml) d'huile
- 1 pincée de sel

Faites un puits de farine dans un bol et cassez-y les œufs. Ajoutez l'huile, le sel et une demi-tasse de lait. Mélangez au fouet et ajoutez le reste du lait en fouettant. Laissez reposer une heure. Versez une louche de pâte dans une poêle anti-adhésive beurrée. Votre première crêpe sert de test. Si elle est trop sèche, ajoutez du lait; si elle prend trop de temps à cuire, est molle et se déchire, ajoutez de la farine et mélangez vivement au fouet. Pour de meilleurs résultats, faites des crêpes minces.

Boudin de tomates confites

Cette recette peut se préparer à l'avance. Il s'agit d'un hors-d'œuvre qui, pour être plus savoureux, s'apprête l'été avec de belles tomates mûres.

INGRÉDIENTS

    4 tomates de Guyenne
    7 onces (200 g) de truite, de corégone ou de saumon fumé
    1 gousse d'ail
    1 cuillère à soupe (15 ml) de cerfeuil, persil et estragon
    jus de citron
    1 œuf Richard cuit dur
    3 cuillères à soupe (45 ml) d'huile d'olive
    gros sel, sucre
    4 feuilles de menthe
    1 pincée de thym
    sel, poivre

- Choisissez de grosses tomates fraîches, les ébouillanter, les éplucher, les fendre en deux et les épépiner.
- Placez-les sur une plaque allant au four.
- Après avoir badigeonné les tomates d'huile, saupoudrez-les de gros sel, de sucre, de thym et ajoutez la gousse d'ail haché.
- Cuisez les tomates au four à 175 °F (80 °C) pendant trois heures.
- Pendant ce temps, coupez le poisson en petits dés et mélangez-le, dans un saladier, avec l'œuf haché, un filet de citron, les fines herbes, un filet d'huile d'olive, du sel et du poivre.
- Quand les tomates sont refroidies, farcissez-les avec la préparation de poisson et refermez-les en leur donnant une forme de boudin.
- Emballez-les individuellement dans une pellicule de plastique.
- Laissez reposer au moins trois heures avant de servir. Ajoutez une vinaigrette composée de cinq cuillères à soupe (60 ml) d'huile d'olive et d'une cuillère à soupe (15 ml) de vinaigre; salez et poivrez.

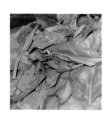

Brick aux œufs de caille de Fugèreville

Les oeufs Francaye sont situés à Fugèreville. Gilles et Françoise Girard élèvent des cailles et mettent les œufs en bocaux pour notre plus grand bonheur. La recette, d'inspiration tunisienne, est adaptée à nos produits régionaux. À défaut des feuilles de brick qu'on trouve dans les magasins spécialisés, on peut se rabattre sur des feuilles de pâte phyllo qui font très bien le travail. Par contre, si vous mettez la main sur des feuilles de brick, faites cuire la recette dans une poêle, dans laquelle vous aurez versé de l'huile d'arachide.

INGRÉDIENTS

    8 feuilles de pâte phyllo
    8 œufs de caille Francaye frais
    1 boîte de thon émietté et égoutté
    2,6 onces (75 g) de feuilles d'épinard
    5 onces (150 g) de fromage râpé (emmenthal, Allegretto ou Cru du clocher 2 ans)
    beurre fondu (vous pouvez le clarifier, mais ce n'est pas indispensable)
    ½ cuillère à thé (2,5 ml) de sel
    ½ cuillère à thé (2,5 ml) de poivre

- Beurrez une feuille de pâte phyllo avant d'en poser une autre par-dessus, beurrez à nouveau et pliez en deux.
- Dans un bol, mélangez le thon, les œufs, le fromage, les feuilles d'épinard équeutées et hachées grossièrement, le sel et le poivre.
- Versez le quart de la recette sur la pâte phyllo pliée en deux, rabattez les côtés de la pâte phyllo pour former un mini oreiller.
- Recommencez trois fois les opérations, puis enfournez 15 minutes à 350 °F (175 °C).

Vous pouvez remplacer le thon par du bœuf ou du poulet haché cuit.

Ce plat tout simple se sert comme hors-d'œuvre ou comme plat principal accompagné d'une salade.

Canapés au cheddar de chèvre chaud et au miel du Témiscamingue

Si vous n'avez jamais essayé le mariage miel et fromage, cette recette vous convaincra que nous avons ici bien plus qu'un mariage de raison. Le miel de trèfle de Germain Tétreault, de Miel Abitémis, sublime les saveurs du cheddar de chèvre. Entendre Germain parler de son miel et de ses abeilles m'émerveille. Il en parle à la manière d'un poète scientifique passionné et passionnant. Je me demande même si, en cachette, il ne donne pas un nom à la reine de chacune de ses ruches...

Le cheddar est un fromage à pâte cuite et il fond sous l'action de la chaleur.

INGRÉDIENTS

    8 tranches de pain de seigle de la Boulangerie Normétal
    16 champignons frais
    7 onces (200 g) de cheddar Capri-O-lait
    8 cuillères à thé (40 ml) de miel de trèfle Miel Abitémis
    huile d'olive
    sel, poivre

- Faites revenir les champignons nettoyés et tranchés dans un peu d'huile d'olive.
- Arrosez chacune des tranches de pain d'un filet de la même huile et déposez-y le fromage préalablement tranché, une cuillère à table de miel, l'équivalent de deux champignons cuits, une pincée de sel et de poivre.
- Enfournez cinq minutes à 400 °F (200 °C).

Vous pouvez essayer cette recette avec des fromages à pâte molle ou d'autres fromages à pâte cuite.

Carottes râpées aux fruits secs

Voici une recette toute simple et qui plaît à tous. Elle est meilleure si vous la préparez la veille.

INGRÉDIENTS
    1 sac de 2 lb (907 g) de carottes Valjack
    5 cuillères à soupe (75 ml) de raisins secs
    1 gousse d'ail

    Pour la vinaigrette
    2 cuillères à soupe (30 ml) de moutarde à l'ancienne
    3 cuillères à soupe (45 ml) de vinaigre de vin
    3 cuillères à soupe (45 ml) d'huile d'arachide
    2 cuillères à soupe (30 ml) d'huile de noix
    sel et poivre

- Épluchez, râpez les carottes et placez-les dans un saladier. Ajoutez les raisins secs et la gousse d'ail émincée.
- À part, mélangez le vinaigre de vin, la moutarde et les huiles pour la vinaigrette. Salez et poivrez.
- Ajoutez la vinaigrette aux carottes.

Facultatif : Un œuf à la coque écrasé à la fourchette ajoute de la couleur et raffine le goût.

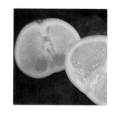

 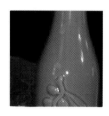 

Charlotte de corégone fumé du Témiscamingue et sa compote de tomates de l'Éden Rouge

Voici un mariage tout simplement délicieux et très facile à préparer. Je vous conseille d'attendre les tomates de l'Éden Rouge de St-Bruno-de-Guigues pour réaliser cette entrée. Si vous voulez ajouter une touche vraiment géniale, faites griller au four du pain de blé badigeonné d'huile d'olive pour accompagner la charlotte, qui peut alors devenir un repas accompagné d'une salade.

INGRÉDIENTS

4 filets de corégone fumé de la Poissonnerie Témis
6 tomates fraîches de l'Éden Rouge
6 feuilles de basilic
quelques feuilles d'estragon
¼ de cuillère à thé (1,25 ml) de graines d'aneth
huile d'olive
1 citron
sel, poivre

- Pelez et épépinez les tomates avant la cuisson. Cuire une vingtaine de minutes avec les herbes hachées et l'aneth. Salez et poivrez.
- Tranchez finement le corégone. Tapissez-en de petits ramequins préalablement huilés.
- Garnissez avec la compote de tomates refroidie.
- Réfrigérez une nuit et démoulez avant de servir.
- Arrosez d'un filet d'huile d'olive et d'un trait de jus de citron.
- Garnissez l'assiette avec le reste de la compote.

  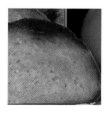

Compote de tomates de Guyenne au basilic

Cette compote de tomates est délicieuse en entrée, servie avec une terrine de volaille ou de gibier, tout simplement avec un bon rôti de porc ou encore avec un de ces chapons qui arrive directement de la ferme. Couchée sur un lit de riz, elle vous révélera tous ses secrets.

INGRÉDIENTS

    10 onces (300 g) de pain de campagne
    1,1 livre (500 g) de tomates de Guyenne
    2 gousses d'ail
    10 feuilles de basilic
    4 tasses (1 l) de bouillon de poulet (p. 54)
    huile d'olive
    sel et poivre

- Ébouillantez les tomates, les peler et les couper en dés.
- Dans un chaudron à fond épais, faites dorer l'ail émincé, puis ajoutez le basilic haché et les tomates. Laissez cuire une quinzaine de minutes, puis ajoutez le bouillon et le pain coupé en dés. Poursuivez la cuisson dix minutes en écrasant le pain avec une fourchette pour qu'il s'incorpore bien au mélange.
- Servez chaud.

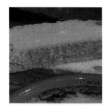

Pour 6 personnes

Crème brûlée au foie gras et à l'érable

Aussi hérétique que cela puisse paraître, le foie gras se marie à merveille aux aliments sucrés. Dans le cas présent, le mariage de l'érable et du foie gras est réussi. Procurez-vous du pain d'épices que vous tranchez finement, poêlez au beurre et vous atteindrez un sommet. Chose que je fais rarement, je vous conseille un vin Monbazillac ou, le « nec plus ultra », un Sauternes qui, malheureusement, n'est pas donné, mais je vous assure que le foie gras, le pain d'épices et le Sauternes réunis sont le mariage le plus réussi que je connaisse. Nous présentons ici la crème brûlée et les biscottis.

INGRÉDIENTS

    1 tasse et 3 cuillères à soupe (300 ml) de crème 35 %
    3,5 onces (100 g) de foie gras
    2 jaunes d'œufs Richard
    12 cuillères à thé (60 ml) de sucre d'érable de l'Érablière L. Lapierre
    sel, poivre

- Mélangez le foie gras et la crème, ajoutez les jaunes d'œufs, puis 6 cuillères à thé (30 ml) de sucre d'érable et mélangez à nouveau.
- Versez dans six petits ramequins en céramique ou dans trois plus gros et cuisez dans un bain-marie une trentaine de minutes à 350 °F (150 °C). L'eau du bain-marie doit déjà être chaude, sinon il faut prolonger le temps de cuisson d'au moins 15 minutes.
- Refroidissez après la cuisson. Avant de servir, versez une ou deux cuillères à thé (5 à 10 ml) de sucre d'érable sur la crème et caramélisez au grill du four ou avec le chalumeau au propane de votre conjoint(e). Vous pourrez lui dire que, pour une fois, il ou elle a une « bébelle » utile dans son garage!

Pour 4 personnes, pour 8 cuillères

« Glomurgescence » de caviar de corégone du lac Témiscamingue et ses effluves mielleuses de Guigues

Vous allez me demander ce que veut dire « glomurgescence ». Ne cherchez pas, il n'est pas encore dans le dictionnaire. Dans ma famille, du côté de mon père, nous inventons des mots pour décrire l'indescriptible. Lorsque je parle de nourriture et que les mots pour la décrire me manquent tellement c'est bon, je dis que c'est « glomurgescent ». C'est vous dire à quel point la recette que je vais vous livrer ici vaut, à mon avis, l'achat de ce bouquin. Pourquoi une bouchée dans une cuillère? Parce qu'il faut que ce moment reste fugace pour devenir inoubliable. Le caviar de corégone est particulier par rapport au caviar d'esturgeon parce qu'il est moins salé; ainsi, on est en contact direct avec le goût des petits œufs croquants et dorés. La recette propose deux cuillères par personne, car j'avoue qu'une seule, ce n'est pas assez.

INGRÉDIENTS

8 cuillères à soupe (120 ml) de crème sûre
4 cuillères à thé (20 ml) de caviar de corégone
de la Poissonnerie Témis
1 oignon
½ cuillère à thé (2,5 ml) de moutarde forte
3 cuillères à soupe (45 ml) de miel de trèfle Miel Abitémis

2 cuillères à soupe (30 ml) d'eau
1 cuillère à soupe (15 ml) d'huile d'olive
1 tranche de pain de mie de la Boulangerie Linda
8 brins de ciboulette
sel et poivre

❀ Pelez l'oignon et coupez-le en tranches minces, puis faites-le blondir à la poêle dans l'huile d'olive.
❀ Lorsque l'oignon est cuit, déglacez avec l'eau, le miel et la moutarde. Laissez l'eau s'évaporer.
❀ Retirez du feu.
❀ Une fois ce mélange refroidi, incorporez la crème sûre et la ciboulette hachée. Salez et poivrez.
❀ Découpez de petits morceaux de pain (pour qu'ils puissent se loger dans le fond de la cuillère) et dorez-les au four une fois beurrés.
❀ Placez dans une cuillère le pain, puis tartinez une cuillère à soupe (15 ml) du mélange de crème sûre et coiffez d'une demi-cuillère à thé (2,5 ml) de caviar.
❀ Savourez.

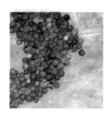  

Mayonnaise

Voici une sauce susceptible d'accompagner plusieurs salades. Ajoutez-lui du ketchup et un peu de whisky et vous obtiendrez une délicieuse sauce cocktail pour les crevettes. La seule limite de cette mayonnaise est votre imagination; vous pouvez même en faire des sauces pour vos fondues. La mayonnaise s'aromatise ensuite au goût.

INGRÉDIENTS

> 1 jaune d'œuf Richard à la température de la pièce
> huile d'olive, au moins 1 tasse (250 ml)
> 2 cuillères à soupe (30 ml) de moutarde forte
> 2 cuillères à soupe (30 ml) de vinaigre de vin
> sel, poivre

❀ Placez le jaune d'œuf dans un saladier et ajoutez la moutarde. Mélangez soigneusement.

❀ Versez un petit filet d'huile sur le mélange et fouettez pour émulsionner. Il est important dans cette recette de ne pas aller trop vite, car la mayonnaise pourrait trancher, c'est-à-dire que l'huile pourrait se séparer des autres ingrédients. Si la situation se produisait, prenez un autre bol, versez-y une cuillère à soupe du mélange raté et une cuillère à thé d'eau. Reprenez votre mélange, cuillère après cuillère, en fouettant.

❀ Vous pouvez monter jusqu'à un litre de mayonnaise à partir d'un jaune d'œuf.

❀ Une fois la mayonnaise montée, aromatisez-la avec le vinaigre, le sel et le poivre.

Les photos présentent une mayonnaise classique, une sauce cocktail pour les crevettes ou la fondue chinoise et bourguignonne, ainsi qu'une mayonnaise à la moutarde pour les pommes de terre froides, les poissons et les fondues.

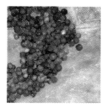

Salade de corégone fumé du lac Témiscamingue

Le corégone est pêché par Denis Lampron de la Poissonnerie Témis et une fois ramené sur terre, il passe entre les mains de Marjorie Gingras. À la sortie du fumoir, il présente une belle couleur ambrée et un goût très subtil.

INGRÉDIENTS

- 10 onces (300 g) de corégone fumé de la Poissonnerie Témis
- 1 poivron rouge
- 2 petites courgettes
- 1 oignon
- 1 petite aubergine
- 3 gousses d'ail
- huile d'olive
- vinaigre balsamique
- sel, poivre

- Tranchez tous vos légumes en rondelles.
- Placez-les sur une plaque et arrosez d'huile d'olive. Salez, poivrez et enfournez à 350 °F (175 °C) pendant une quinzaine de minutes ou jusqu'à ce que les légumes commencent à ramollir.
- Une fois les légumes refroidis, les disposer sur des assiettes individuelles avec 2,5 onces (75 g) de corégone.
- À la fin, arrosez chaque assiette de l'huile qui a servi à cuire les légumes, ainsi que d'un filet de vinaigre balsamique.

Salade témiscamienne

Cette salade s'appelle ainsi puisque ses principaux ingrédients sont cultivés au Témis. Je vous livre également ma vinaigrette préférée qui arrose aussi bien la laitue, les pâtes, le riz ou les pommes de terre. La touche qui fait de cette salade un plat qui se démarque est le fameux nid d'hirondelle de notre boucher régional Yves Brouillard qui, encore une fois, nous ensorcelle le palais avec une de ses créations.

INGRÉDIENTS
> 1 laitue
> 2 tomates de l'Éden Rouge
> 8 œufs de caille Francaye cuits durs
> 1 nid d'hirondelle au poulet de la Boucherie le Gourmet
> 8 pommes de terre Grelot de la Ferme Lunick
> 2 oignons verts
>
> *pour la vinaigrette*
> 6 cuillères à soupe (90 ml) d'huile d'olive
> 2 cuillères à soupe (30 ml) de vinaigre de vin
> 2 œufs de caille Francaye
> 1 ½ cuillère à soupe (22,5 ml) de moutarde forte
> sel et poivre

- Préparez la vinaigrette en écrasant deux œufs de caille dans un bol, ajoutez la moutarde et mélangez.
- Ajoutez l'huile, une pincée de sel et de poivre, réservez.
- Faites cuire à l'avance le nid d'hirondelle au four et une fois refroidi, coupez-le en tranches.
- Faites cuire les pommes de terre avec leur peau et faites-les refroidir avant de les trancher. Prenez un beau plat de service pour dresser sur un lit de laitue les pommes de terre, les tomates coupées en quartier, les œufs cuits durs coupés en deux, les oignons verts émincés et enfin, la vinaigrette.

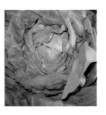

Saucisses du Lac en cachette

Les Saucisses du Lac sont de belles et fines saucisses fabriquées au lac Dufault par une équipe de passionnés. Six variétés sont commercialisées, dont la Torride et l'Abitibienne, pour ne citer que celles-là. Voici donc une manière simple et originale de manger ces saucisses qui fera de votre repas un véritable petit gueuleton. Je vous conseille d'essayer les paquets de saucisses contenant plusieurs variétés afin de diversifier le plaisir. Puisque la recette comprend déjà un féculent avec la pâte phyllo, je vous suggère d'accompagner ce plat avec une salade verte et une tomate au four.

INGRÉDIENTS
    8 Saucisses du Lac au choix
    8 feuilles de pâte phyllo
    beurre clarifié
    4 tomates de Guyenne bien mûres, mais pas molles
    0,5 livre (240 g) de fromage brie ou d'edel de clairon
    16 feuilles d'épinard frais
    chapelure
    herbes de provence ou thym
    sel, poivre

- Faites dorer les saucisses à la poêle. Une fois cuites, laissez-les un peu refroidir pour les manipuler sans vous brûler.
- Étalez une feuille de pâte phyllo sur le plan de travail et enduisez-la de beurre avec un pinceau, puis pliez-la en deux et badigeonnez à nouveau.
- Pliez en deux une dernière fois et placez deux saucisses, quatre feuilles d'épinard hachées ainsi qu'une lanière de fromage.
- Pour fermer les cachettes, roulez la pâte et repliez les deux extrémités sur elles-mêmes.
- Badigeonnez le cylindre obtenu avec du beurre et enfournez à 375 °F (190 °C) jusqu'à ce que la pâte phyllo soit dorée.
- Tranchez les tomates en deux horizontalement, salez et poivrez avant de saupoudrer de chapelure et d'herbes de provence, enfournez une vingtaine de minutes à la même température que la cuisson des cachettes.

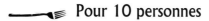

Soufflé au vieux Cru du Clocher

Le soufflé est un plat qui ne tolère aucun retard donc, si vous voulez un truc, invitez vos convives une demi-heure à l'avance pour être certain qu'ils n'assisteront pas à la dégringolade de votre entrée. Le principe du soufflé est simple puisqu'il s'agit d'une béchamel à laquelle on mélange des jaunes d'œufs et des blancs montés en neige. On peut donc remplacer le Cru du Clocher par du crabe, des crevettes ou encore un autre fromage.

INGRÉDIENTS

> 3 tasses (750 ml) de lait
> 7 onces (200 g) de fromage Cru du Clocher 2 ans du Fromage au Village
> 3,5 onces (100 g) de beurre
> 5,3 onces (150 g) de farine
> 8 œufs Richard
> sel et poivre

⊗ Faites fondre le beurre et mélangez-y la farine.

⊗ Ajoutez ensuite le lait et faites bouillir en prenant soin de mélanger constamment, sinon la préparation collera dans le fond de votre casserole. Une fois que la béchamel a bouilli, retirez du feu et ajoutez le fromage que vous aurez râpé.

⊗ Salez, poivrez et réservez en couvrant la béchamel.

⊗ Lorsque le mélange est tiède, ajoutez les jaunes d'œufs et battez les blancs en neige ferme. Incorporez le quart des blancs battus au mélange pour le détendre, c'est-à-dire le rendre plus souple. Finalement, incorporez délicatement le reste de blancs battus.

⊗ Versez dans dix ramequins et enfournez 20 minutes à 400 °F (200 °C).

⊗ Servez aussitôt car le soufflé est l'un des plats cuisinés qui souffre le plus de l'attraction terrestre.

Tarte aux champignons d'Opasatika

Voici des champignons qui sont cultivés dans le nord-ouest de l'Ontario, près de Kapuskasing. Les œufs nous viennent de la Ferme Richard de l'Abitibi.

Nous travaillons avec une pâte feuilletée; j'adore la texture de celle-ci et en plus, elle s'achète toute prête. Il ne faut pas oublier que cuisiner, c'est avant tout se faire plaisir.

INGRÉDIENTS

1 livre (454 g) de pâte feuilletée
1 livre (454 g) de champignons frais d'Opasatika
1,7 once (50 g) d'échalotes épluchées
1 once (30 g) de beurre
¾ de tasse et 2 cuillères à thé (200 ml) de crème 35 %
⅓ de tasse et 1 cuillère à soupe (100 ml) de lait
2 tranches de jambon du Grenier des Saveurs
6 œufs Richard
1 pincée de noix de muscade
sel, poivre

- Hachez les échalotes et faites-les suer dans une poêle beurrée.
- Faites revenir les champignons nettoyés et tranchés de la même manière que les échalotes.
- Mixez la crème, le lait et les œufs avec une girafe, ajoutez la muscade, le jambon en petits morceaux et l'échalote que vous mélangez à la cuillère.
- Salez, poivrez et versez dans un moule à tarte beurré et garni avec la pâte feuilletée.
- Cuisez 35 minutes à 350 °F (180 °C) ou jusqu'à ce que la croûte soit dorée.

Tarte aux courgettes à l'Allegretto de la Vache à Maillotte

Voici une tarte facile à réaliser et qui peut se manger seule ou avec une belle salade. Vous pouvez aussi, si vous désirez servir un repas complet à vos convives, accompagner cette tarte d'une tranche de rôti de porc ou de bœuf.

INGRÉDIENTS

Pour la pâte
6,7 onces (190 g) de farine
4,6 onces (130 g) de beurre
1 jaune d'œuf Richard
1 à 2 cuillères (15 à 30 ml)
    à soupe d'eau
½ cuillère à soupe (7,5 ml) de sel

Pour la garniture
1 livre (454 g) de pommes de terre épluchées
4,6 onces (130 g) de fromage Allegretto de la Vache à Maillotte
⅔ tasse et 1 cuillère à thé (175 ml) d'eau
1,6 once (45 g) de farine
⅓ de tasse et 1 cuillère à thé (90 ml) de crème 35 %
2 petites courgettes
2 œufs Richard
sel, poivre
thym ou romarin frais

⊛ Pour faire la pâte, tamisez la farine dans un bol, ajoutez le beurre et travaillez la pâte avec les doigts. Ajoutez le sel, l'eau et le jaune d'œuf.

⊛ Mélangez du bout des doigts ou avec un couteau pour que la pâte ne soit pas élastique.

⊛ Quand vous avez la consistance d'une pâte, formez une boule que vous enveloppez et laissez reposer une vingtaine de minutes au réfrigérateur.

⊛ Abaissez la pâte dans un moule à tarte et chemisez avec un papier sulfurisé, garni de billes de terre cuite ou de haricots secs.

⊛ Enfournez dix minutes à 375 °F (190 °C) et retirez le papier et les haricots pour cuire encore cinq minutes. Cette opération permet d'avoir une pâte bien cuite en fin de recette.

⊛ Faites revenir les courgettes dans du beurre et réservez-les.

⊛ Pour la garniture, faites cuire les pommes de terre à l'eau salée, égouttez et réduisez en purée.

⊛ Ajoutez ensuite la farine, l'eau, l'Allegretto et mélangez.

⊛ Ajoutez la crème 35 % et mélangez vigoureusement avec une cuillère en bois jusqu'à ce que la purée soit homogène. Incorporez les œufs et les tranches de courgettes cuites. Salez et poivrez.

⊛ Versez dans le moule à tarte et disposez des lamelles de courgettes coupées en rondelles.

⊛ Garnissez de thym ou de romarin frais et enfournez à 350 °F (175 °C) pour une quarantaine de minutes ou jusqu'à ce que la tarte soit dorée.

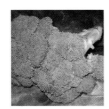

Tarte feuilletée au brocoli et Cru du Clocher deux ans

Pour simplifier cette recette, achetez la pâte feuilletée déjà faite au supermarché au rayon des surgelés. Pour l'abaisser, si vous n'avez pas de rouleau à pâte, une bouteille de vin vide peut le remplacer. Pour le brocoli comme pour tous les légumes verts que vous cuisez dans l'eau, je vous conseille de le faire couvercle ouvert, ce qui permet d'éviter une réaction chimique qui brunit les légumes.

INGRÉDIENTS

    0,5 livre (225 g) de pâte feuilletée Le Choix du Président
    1 pied de brocoli
    2 œufs Richard
    5 onces (150 g) de fromage Cru du Clocher 2 ans du Fromage au Village râpé
    1 tasse et 3 cuillères à soupe (300 ml) de lait
    3 tranches de jambon du Grenier des Saveurs
    1 once (30 g) de farine
    1 once (30 g) de beurre
    sel et poivre

✻ Faites cuire le brocoli dans l'eau. Pendant ce temps, faites une béchamel rapide avec le lait, le beurre et la farine (voir la recette de lasagne au jambon p. 90).
✻ Égouttez le brocoli cuit et ajoutez-y la béchamel, le fromage râpé et le jambon coupé en morceaux.
✻ Mélangez à la fourchette. Salez et poivrez.
✻ Ajoutez les deux œufs aux autres ingrédients et mélangez. Réservez.
✻ Farinez sur une surface d'environ 30 centimètres de diamètre.
✻ Abaissez la pâte feuilletée que vous étalez dans un moule beurré.
✻ Versez le mélange refroidi et enfournez une demi-heure à 350 °F (175 °C).

Tomates crevettes

Pour faire de délicieuses tomates crevettes, il vous faut de bonnes tomates de l'Éden Rouge et des petites crevettes de Matane cuites et décortiquées. À mon avis, ce sont les meilleures crevettes que l'on trouve au Québec. Elles ont une délicate saveur de fruit de mer et leur cuisson optimale leur confère une texture parfaite. Ce hors-d'œuvre peut se transformer en plat de résistance si vous l'accompagnez d'une salade verte et de quelques charcuteries ou de fromage. La sauce de crevettes est celle de ma mère qui, chaque fois qu'elle prépare ce plat, a les yeux pétillants de malice et de bonheur.

INGRÉDIENTS

4 tomates de l'Éden Rouge
10 onces (300 g) de crevettes de Matane
4 œufs de caille Francaye cuits durs
3,5 onces (100 g) de mayonnaise
2 cuillères à table (60 ml) de ketchup
2 cuillères à table (60 ml) de whisky
2 feuilles de salade
persil frais
sel et poivre

- Coupez le dessus de la tomate pour ensuite la vider de sa chair avec une petite cuillère. Conservez la chair pour faire une sauce ou une soupe.
- Mélangez la mayonnaise, le ketchup et le whisky. Salez et poivrez.
- Ajoutez les crevettes à la sauce et répartissez la préparation dans les tomates évidées.
- Posez les œufs coupés en moitié, un brin de persil et faites une entaille dans le haut de la tomate pour y insérer le chapeau.
- Placez ensuite sur la salade ciselée.

Index
soupes

Soupes

Bouillon et fond de sauce

Pour faire un bouillon avec une véritable saveur sans être obligé de passer par les sempiternelles boîtes de conserve ou autres succédanés, faites vous-mêmes vos bouillons. Ayant le mérite de faire le recyclage de vos carcasses de poulet ou d'autres animaux, vous ferez en plus des économies. Fini les boîtes de conserve et gagnez davantage de place dans vos placards.

Pour faire un bouillon à partir d'os de poulet ou autres, cela n'a pas d'importance que les os aient déjà été cuits dans une recette précédente. Ils dégageront seulement un peu moins de saveur, alors soit on mettra plus d'os ou moins d'eau dans notre bouillon.

Donc, cuits ou non, faites griller vos os sur une plaque au four, car il faut qu'ils soient brunis et non noircis. Cette couleur brune va donner toute la saveur à votre bouillon.

Vous pouvez inclure dans le bouillon la peau du poulet pour un bouillon de poulet, le gras autour d'un os de bœuf, etc.

Comptez environ huit tasses (4 litres) d'eau par un kilo (2,2 livres) d'os. Ajoutez un ou deux oignons entiers épluchés, deux branches de céleri, une carotte, deux feuilles de laurier et faites bouillir à couvert pendant au moins deux heures pour exprimer toute la saveur des carcasses.

Passez le bouillon au tamis et mettez-le au réfrigérateur pour pouvoir aisément retirer la couche de gras qui se solidifiera à la surface.

Vous pouvez saler et poivrer votre bouillon ou attendre de le faire quand vous préparerez une soupe. Pour préparez le fond de sauce, continuez la cuisson, mais en enlevant le couvercle pour réduire le bouillon au quart de son volume initial.

Ne pas saler ni poivrer car le fond de sauce sera ajusté lors de l'élaboration de vos sauces. Après la cuisson, vous filtrez le fond et procédez comme pour le bouillon pour dégraisser. Vous pouvez congeler votre fond en portion d'une tasse (250 ml) et choisissez votre sauce, soit par ajout de crème, d'alcool, de moutarde.

Cappuccino de tomates de Guyenne à la crème de Léon

Cappuccino, car ce velouté de tomates est servi dans une petite tasse à café et est décoré d'une rosace de crème fouettée non sucrée. Libre à vous de servir le potage dans un bol pour les gros appétits. L'idéal pour le bouillon serait d'avoir une carcasse de canard, mais un bel os de bœuf ou même un morceau de queue de bœuf convient. Pour accentuer toutes les saveurs, je vous conseille de faire dorer la carcasse au four, car les sucs de cuisson vont se dissoudre dans le bouillon.

INGRÉDIENTS

        5 tomates de Guyenne fraîches
        1 oignon
        3 branches de céleri
        3 carottes Valjack
        4 cuillères à soupe (60 ml) de pâte de tomates
        ½ carcasse de canard
        ½ tasse (125 ml) de crème 35 % de la Vache à Maillotte
        curry
        persil frais
        sel, poivre

⊛   Versez deux litres et demi d'eau dans une casserole et plongez-y la carcasse de canard, les légumes coupés en morceaux, une pincée de sel et de poivre. Laissez bouillir une heure. Sortez la carcasse de canard et passez la soupe au mélangeur.

⊛   Versez la crème fraîche et une pincée de curry dans un bol et fouettez-la jusqu'à ce qu'elle épaississe. Videz-la ensuite dans une poche à douille.

⊛   Versez la soupe bouillante dans les tasses et décorez d'une rosace de crème dans laquelle vous piquez une ou deux feuilles de persil.

Gaspacho de carottes Valjack

Quoi de meilleur l'été que de commencer le repas avec une soupe froide? Avant de servir, je vous conseille d'ajouter quelques rondelles de concombre anglais qui, en plus d'ajouter une belle note de couleur, vont ajouter de la saveur et du croquant à ce potage rafraîchissant.

INGRÉDIENTS

    1 livre (454 g) de carottes Valjack
    ½ concombre de l'Éden Rouge (en saison)
    2 oranges
    1 citron
    ½ pamplemousse
    ½ lime
    2 tasses (500 ml) de bouillon de volaille dégraissé
    2 gousses d'ail
    2 cuillères à soupe (30 ml) d'huile d'olive
    ½ cuillère à soupe (7,5 ml) de cumin
    coriandre fraîche ou du persil
    sel et poivre

- Épluchez les carottes et tranchez-les en rondelles minces.
- Placez-les ensuite dans le bouillon de poulet avec l'ail haché, le cumin, le jus du citron et l'huile d'olive. Faites cuire jusqu'à ce que les carottes soient tendres. Passez à la girafe.
- Ajoutez le jus des deux oranges, du pamplemousse et de la lime. Salez et poivrez.
- Refroidissez et, avant de servir, parsemez de coriandre hachée.

Facultatif : une cuillère de crème 35 % vient ajouter de l'onctuosité à cette soupe.

Soupe à la Taïga

Rassurez-vous, la soupe à la bière ne contient plus d'alcool, car il s'évapore pendant la cuisson, mais le parfum reste pour nous surprendre d'abord et nous charmer ensuite.

INGRÉDIENTS

> 6 tasses (1,5 litre) de bouillon de poulet
> 1 bouteille de Taïga de 341 ml de la Brasserie Belgh Brass
> 7 onces (200 g) de pain italien de la Boulangerie Linda (il faut qu'il soit rassis)
> 1 pincée de muscade
> ½ tasse et 5 cuillères à thé (150 ml) de crème 35 %
> sel, poivre

* Pour le bouillon de poulet, je vous suggère d'utiliser une carcasse de poulet dorée au four. Faites-la bouillir ensuite une heure et demie dans l'eau avec un gros oignon épluché et coupé en quatre. Sinon, vous pouvez acheter du bouillon au supermarché.
* Ajoutez la bière et le pain au bouillon. Faites mijoter une vingtaine de minutes. Salez et poivrez, puis ajoutez la crème et la muscade.
* Passez à la girafe.
* Ajoutez des croûtons et du persil haché pour la garniture.
* Pour faire les croûtons, prenez le pain italien que vous badigeonnez de graisse de canard fondue et faites dorer au four avant de détailler en cubes.

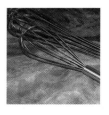

 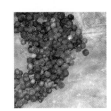 

Soupe froide de l'Éden Rouge

Pour ceux qui n'ont jamais goûté les tomates de l'Éden Rouge, je vous conseille de faire un détour par le Témiscamingue, de juin à septembre, pour vous procurer ces merveilleux bijoux disponibles dans les épiceries du coin. Elles sont faciles à reconnaître, de couleur rouge vermillon et la peau tendue comme un tambour, prémisses d'une tomate gorgée de jus et d'une promesse tenue à chaque fois : un goût qui vous fait regretter la venue de l'hiver car il s'agit d'un produit saisonnier.

Voici une recette qui met vraiment en valeur cette fameuse tomate puisqu'il n'y a pas de cuisson. En plus, la recette contient des concombres et devinez qui en fait pousser?

INGRÉDIENTS

    3 tomates de l'Éden Rouge
    3 tasses (750 ml) d'eau
    1 gros oignon rouge
    1 poivron vert ou rouge
    1 concombre anglais de l'Éden Rouge
    2 gousses d'ail
    quelques gouttes de Tabasco
    quelques gouttes de sauce Worchestershire
    4 cuillères à soupe (60 ml) de mie de pain
    2 cuillères à soupe (30 ml) d'huile d'olive
    1 cuillère à thé (5 ml) de sel
    ½ cuillère à thé (2,5 ml) de poivre moulu

- Dans un saladier, écrasez les deux gousses d'ail et versez le sel, le poivre et la pulpe des tomates que vous aurez pelées et écrasées.
- Mélangez bien et ajoutez goutte à goutte l'huile d'olive.
- Tranchez aussi finement que possible l'oignon que vous ajoutez dans le saladier.
- Une fois épépiné, faites blanchir le poivron dans l'eau bouillante (pour le rendre plus digeste), égouttez-le et coupez-le en dés. Ajoutez-le au mélange avec le concombre épluché et coupé en petits morceaux ainsi que la mie de pain.
- Ajoutez trois tasses (750 ml) d'eau et mélangez.
- Servir glacé.

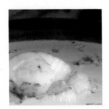

Velouté de carottes au cumin et aux pétoncles

Le goût sucré des carottes Valjack vient rehausser un parfum subtil de la carotte que vous ne retrouverez dans aucune autre et en plus, quand on les cuit, elles restent d'une belle couleur orange. Quoi de mieux qu'un potage pour en apprécier la saveur?

INGRÉDIENTS

3 carottes Valjack
1 branche de céleri
1 petit oignon
4 tasses (1 litre) de bouillon de poulet
2 tasses (500 ml) de crème 35 %
une trentaine de pétoncles
coriandre ou persil frais
cumin
sel, poivre

- Faites cuire les carottes, le céleri et l'oignon en rondelles une quinzaine de minutes dans le bouillon de poulet. En fin de cuisson, ajoutez la crème et laissez bouillir un court instant pour ensuite mélanger.
- Assaisonnez au goût avec le cumin, le sel et le poivre. Mélangez à nouveau pour bien mêler les saveurs.
- Maintenez la soupe au chaud pendant que vous ferez revenir vos pétoncles dans une poêle huilée.
- Versez la soupe dans des assiettes et placez les pétoncles dessus.
- Pour la touche finale, parsemez de coriandre fraîche ou de persil frais et de quelques grains de cumin.

Cette soupe, très riche, mais tellement savoureuse, peut être accompagnée de croûtons de pain de blé entier.

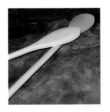

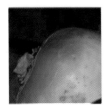

Velouté de navet au gingembre

Curieux mais savoureux mélange de produits dont le goût est déjà très marqué au départ. En fait, le gingembre se révèle après que le navet ait envahi votre palais. Je sers cette soupe avec des croûtons de pain que je badigeonne de graisse de canard fondue avant de les faire dorer au four.

INGRÉDIENTS

> 1 céleri
> 2 carottes Valjack
> 2 oignons
> 6 navets
> 1 tasse (250 ml) de crème 35 %
> 8 tasses (2 l) de bouillon de poulet ou de canard
> 0,6 onces (20 g) de gingembre frais râpé finement
> sel et poivre

- Épluchez et lavez tous les légumes que vous débitez en morceaux. Plongez-les dans le bouillon.
- Faites bouillir pendant une demi-heure et ajoutez le gingembre. Faites cuire encore une dizaine de minutes.
- Passez à la girafe et ajoutez la crème, donnez un dernier bouillon. Salez et poivrez.
- Vous pouvez accompagner de croûtons de pain de seigle de la Boulangerie Normétal.

Index
plats principaux

Plats principaux

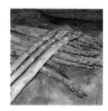

Pour 4 personnes

Canard Fragaria et ses légumes du printemps

Nous faisons ici un mariage osé, mais le canard s'harmonise parfaitement avec les arômes fruités qui proviennent des plantations du Témiscamingue.

Le Fragaria est la géniale invention de Normand Olivier de la Ferme Nordvie de St-Bruno-de-Guigues. Il fait une vinification de son délicieux jus de fraise en plus des deux mistelles, dont une de fraise et rhubarbe baptisée Racine Barbare par Sylvie et Madeleine, la mère et la fille de cette belle histoire et enfin, le Frasil qui est une mistelle de fraises. Ces trois produits sont disponibles à la SAQ et à la Ferme Nordvie. Faites cette recette avec du canard sauvage, si vous connaissez des chasseurs, sinon vous pouvez vous en procurer à l'épicerie. D'ailleurs, je vous conseille un canard gras d'élevage du Périgord, car on peut faire des fonds de sauce ou du bouillon avec la carcasse et récupérer la graisse pour cuisiner ou faire du confit. Ce plat se marie très bien avec des petits légumes à la poêle et des pommes dauphines (p. 108).

INGRÉDIENTS

 4 cuisses de canard
 1 bouteille (500 ml) de Fragaria de la Ferme Nordvie
 1 tasse (250 ml) d'eau
 2 tranches de bacon
 1 oignon
 1 carotte Valjack
 1 branche de céleri
 5 cuillères à soupe (75 ml) de sirop de cassis du Verger des Tourterelles
 1 cuillère à soupe (15 ml) de farine
 1 gousse d'ail
 1 branche de thym frais ou ½ cuillère à thé (25 ml) de thym séché
 sel et poivre

- Faites une marinade avec le Fragaria, l'eau, les légumes coupés en petits morceaux, l'ail, le thym et placez-y les cuisses pour 24 heures.
- Égouttez les cuisses en conservant précieusement le jus et colorez-les dans une poêle huilée. Faites-y aussi cuire le bacon coupé en morceaux.
- Mélangez la farine à la marinade et ajoutez les viandes pour laisser mijoter le tout pendant deux heures et demie à feu doux.
- Ajoutez à la fin le sirop de cassis. Salez et poivrez.

Carbonnades à la Taïga au sirop de pomme du Verger des Tourterelles

Le goût ambré de la bière amossoise met en valeur le bœuf et se marie très bien avec une généreuse portion de frites ou encore avec une purée de pommes de terre. Le sirop de pomme vient mettre la touche finale en bouche.

Pour cette recette, n'hésitez pas à choisir des cubes de bœuf striés de gras. Ils n'en seront que plus moelleux.

INGRÉDIENTS
        1,75 livre (800 g) de cubes de bœuf
        2 bouteilles de Taïga de 341 ml de la Brasserie Belgh Brass
        3,4 onces (100 ml) de sirop de pomme du Verger des Tourterelles
        1 oignon
        2 carottes Valjack
        1 ½ cuillère à soupe (22,5 ml) de farine
        1 cuillère à soupe (15 ml) de moutarde forte
        sel, poivre

- Faites revenir les cubes dans une casserole avec un peu de gras de canard ou de beurre.
- Saupoudrez-les ensuite avec la farine.
- Déposez par-dessus l'oignon émincé, les carottes en rondelles, la moutarde, le sirop de pomme et la bière.
- Salez, poivrez et laissez mijoter deux heures en mélangeant de temps en temps ou jusqu'à ce que le bœuf soit tendre.

Carpaccio de bison d'Earlton au très vieux Cru du Clocher

Voici une manière de déguster le bison que j'apprécie beaucoup. Si vous n'avez pas de bison, vous pouvez vous rabattre sur du filet ou du faux-filet de bœuf. Ce qui est important, c'est de travailler à partir de viande fraîche, car la viande congelée a deux vilains défauts quand on veut la manger crue : le premier est la facilité avec laquelle les microbes se développent dans une viande décongelée et le deuxième est qu'elle a une drôle de texture en bouche et rend son jus. Pourquoi un très vieux Cru? J'ai eu la chance, en me rendant à la fromagerie Fromage au Village de Lorrainville, de recevoir d'Hélène Lessard et de Christian Barrette un Cru du Clocher cinq ans. Déjà que le deux ans est un véritable poème gustatif, celui-là est véritablement une révélation. Un léger picotement vient chatouiller la langue et exploser de saveur en bouche. Il se marie divinement avec le bison de Pierre Bélanger. Par contre, avant de débiter votre viande en tranches minces, je vous conseille de la « raidir au congélateur », facilitant le travail de découpe. Pour terminer, vous pouvez accompagner votre carpaccio avec une salade et une bonne baguette de pain. Une dernière suggestion : essayez ce lunch dans votre bain tourbillon un soir d'hiver (s'il est installé dehors bien entendu) avec de la vodka glacée.

INGRÉDIENTS

- 14 onces (400 g) de filet ou faux-filet de bison
- 1 oignon espagnol ou 1 gros oignon rouge
- 5 onces (150 g) de fromage Cru du Clocher 5 ans du Fromage au Village
- 1,7 once (50 g) de câpres
- 2 cuillères à soupe (30 ml) d'huile d'olive
- fleur de sel de Guérande
- poivre du moulin
- 1 citron
- 1 cuillère à soupe (15 ml) de sauce Worcestershire (la marque Lea & Perrins est la meilleure)

- Émincez l'oignon en rondelles, ajoutez les câpres, l'huile d'olive et la sauce Worcestershire.
- Tranchez aussi mince que possible la viande et placez-la en rosace sur les assiettes.
- Pressez le citron sur la viande et arrosez avec la vinaigrette.
- Disposez harmonieusement les rondelles d'oignon, saupoudrez de fleur de sel et de quelques tours de moulin à poivre.
- Disposez le fromage que vous aurez détaillé en copeaux par-dessus la viande.
- Dégustez.

Couscous à l'agneau du Témiscamingue et merguez du lac Dufault

Le couscous est un plat qui nous vient d'Afrique du Nord et à peu près chaque région a sa recette. Pourquoi l'Abitibi-Témiscamingue n'aurait-elle pas la sienne? Pour réussir le couscous, il faut respecter le degré de cuisson des légumes et de la viande et les incorporer graduellement au couscous. Comme l'agneau sera utilisé ici, il cuira moins longtemps que certains légumes. Pour la semoule, à défaut du couscoussier, voici une recette satisfaisante au micro-ondes. Vous pouvez remplacer l'agneau par du poulet coupé en morceaux.

INGRÉDIENTS

8 merguez Saucisses du Lac
2,2 livres (1 kg) de cubes d'agneau ou un gigot d'épaule détaillé
1,1 livre (500 g) de semoule (appelée communément couscous)
4 tomates de Guyenne
4 carottes Valjack
2 oignons
½ céleri
2 navets
4 petites courgettes

1 boîte de pois chiches en conserve
1 boîte de pâte de tomates
5 onces (150 g) de raisins secs
2 onces (60 g) de beurre
2 cuillères à thé (10 ml) de piment de Cayenne en poudre
cumin, sel, poivre
½ cuillère à thé (2,5 ml) de thym ou une branche de thym frais

⊛ Faites revenir dans une poêle les cubes d'agneau dans l'huile d'olive jusqu'à ce qu'ils soient colorés et réservez-les ensuite. Faites la même chose avec les merguez.

⊛ Lavez tous les légumes, détaillez-les en morceaux de deux à trois centimètres et faites-les revenir eux aussi dans la poêle chacun leur tour et réservez-les. Seules les tomates iront directement en quartier dans le bouillon sans cuisson préalable.

⊛ Déglacez la poêle avec de l'eau et versez ce jus dans une casserole. Ajoutez de l'eau jusqu'à ce que la casserole contienne huit tasses (2 litres) de liquide. Commencez par y mettre les oignons, le céleri et les carottes. Faites cuire à petits bouillons pendant 15 minutes et ajoutez les navets, une cuillère à table (15 ml) de cumin, le thym et les cubes d'agneau. Après une quinzaine de minutes, ajoutez les merguez et les tomates et cinq minutes plus tard, les courgettes et les raisins. Attendez encore cinq minutes, ajoutez les pois chiches égouttés et la pâte de tomates et donnez un dernier bouillon. Salez et poivrez.

⊛ Pour faire la sauce piquante qui accompagne le couscous, prélevez quatre cuillères à soupe (60 ml) de gras du bouillon en surface, mélangez-le avec une cuillère à soupe (15 ml) de pâte de tomates et le piment de Cayenne. Attention, utilisez avec parcimonie; c'est très fort.

⊛ Versez la semoule dans un saladier pouvant aller au micro-ondes et recouvrez-la d'eau. Ajoutez le beurre et une cuillère à thé (5 ml) de sel.

⊛ Chauffez au micro-ondes pendant une minute et demie et mélangez ensuite avec une fourchette.

⊛ Réchauffez une autre minute et demie et mélangez pour défaire les grains de semoule. Refaites chauffer le même temps et mélangez à nouveau. Disposez dans l'assiette tel que sur la photo.

Croquettes de pommes de terre

Cette recette vient de mon pays natal et elle accompagne très bien les viandes et les volailles.

INGRÉDIENTS

2,2 livres (1 kg) de pommes de terre épluchées de la Ferme Lunick
1 once (30 g) de beurre
3 jaunes d'œufs Richard
3 blancs d'œufs Richard
½ cuillère à thé (2,5 ml) d'huile
sel, poivre, noix de muscade
farine
chapelure

✳ Faites cuire les pommes de terre dans une casserole d'eau, égouttez-les et séchez-les sur le feu afin d'en ôter le maximum d'humidité.

✳ Passez-les ensuite au presse-purée et ajoutez le sel, le poivre et la muscade râpée. Travaillez la purée avec une cuillère en bois et quand elle est lisse, ajoutez le beurre et les jaunes d'œufs un à un. Quand vous aurez bien mélangé la purée, versez-la sur la table saupoudrée de farine.

✳ Recouvrez la purée de farine et roulez-la en une forme de boudin d'environ un pouce (3 cm) de diamètre. Divisez ensuite le boudin en section d'environ trois pouces (8 cm) que vous tremperez dans les blancs d'œufs battus avec l'huile.

✳ Roulez ensuite les boudins dans une assiette de chapelure. Pour faire adhérer la chapelure, roulez légèrement les boudins sur la table pour leur donner une forme cylindrique.

✳ Faites chauffer l'huile de votre friteuse au ⅔ de sa puissance et plongez-y vos croquettes à l'aide du panier de la friteuse pour éviter de les briser.

✳ Elles sont cuites une fois qu'elles sont bien dorées.

Filet de porc au jambon et Allegretto

Le fromage Allegretto vient délicieusement rehausser la saveur du jambon dans cette recette. Un riz ou des pommes de terre avec des carottes à la crème accompagnent bien cette viande.

INGRÉDIENTS
    1 filet de porc
    2 tranches de jambon du Grenier des Saveurs
    3,5 onces (100 g) de fromage Allegretto de la Vache à Maillotte râpé
    moutarde forte de Dijon
    thym
    sel, poivre

* Fendez, dans le sens de la longueur, le filet de porc et insérez les tranches de jambon dans lesquelles vous aurez placé le fromage râpé.
* Fermez le filet à l'aide de cure-dents et placez-le dans un plat allant au four.
* Badigeonnez le filet de moutarde, parsemez de thym, de sel et de poivre et enfournez 35 minutes à 390 °F (200 °C) ou un peu plus longtemps si vous préférez une viande moins rosée.

Attention, le jambon peut faire penser que la viande est rosée, mais en réalité elle peut être bien cuite. Fiez-vous à la pression que vous exercerez avec un doigt : plus c'est dur, plus c'est cuit.

Filet mignon de porc chocolaté et ses pommes caramélisées

Il fallait bien qu'un chocolatier composant un livre de recettes salées vous fasse quelque chose avec du chocolat. Le porc se marie très bien avec des produits sucrés et spécialement avec les pommes. Le chocolat apporte une note très originale ici, car on est plutôt habitué de le retrouver dans les desserts. Quant au gingembre, il amène une sensation rafraîchissante qui contraste agréablement avec le chocolat. Vous pouvez, bien entendu, accompagner ce plat de quelques légumes sautés à la poêle ou encore une portion de pommes dauphines (p. 108).

INGRÉDIENTS

1,5 livre (680 g) de filet mignon de porc
5 pommes
0,55 livre (250 g) de champignons blancs d'Opasatika
½ tasse et 5 cuillères à thé (150 ml) de crème 35 %
1,8 once (50 g) de chocolat noir 70 %
6 cuillères à soupe (90 ml) de beurre de cacao mycrio (beurre de cacao en poudre) ou beurre de lait de vache
5 cuillères à soupe (75 ml) de sucre granulé
gingembre frais
4 cuillères à soupe (60 ml) de Brésiliennes (noisettes grillées caramélisées et broyées des Chocolats Martine)
2 cuillères à soupe (30 ml) de moutarde forte
3 cuillères à soupe (45 ml) de whisky ou de cognac
sel et poivre

⊛ Pour commencer, faites revenir le filet mignon dans deux cuillères à soupe (30 ml) de beurre de cacao ou de beurre de lait de vache. Quand il est bien coloré, roulez-le dans la Brésilienne et placez-le 30 minutes au four à 375 °F (190 °C).

⊛ Poêlez ensuite les champignons épluchés et tranchés en deux dans la même poêle.

⊛ Pendant ce temps, pelez et coupez en quartier les pommes, puis trempez-les ensuite dans un mélange de sucre et de quatre cuillères à soupe (60 ml) de beurre de cacao ou de beurre de lait de vache. Cuisez-les à feu vif dans une poêle en les retournant de temps en temps. Arrêtez la cuisson une fois les pommes bien dorées.

⊛ Râpez ensuite dessus un peu de gingembre frais.

⊛ Quand les champignons sont cuits, ajoutez la moutarde, la crème et le chocolat.

⊛ Laissez bouillir deux minutes en remuant et ajoutez le whisky et la valeur d'une cuillère à thé (5 ml) de gingembre râpé. Salez, poivrez et donnez un dernier bouillon à la sauce et réservez au chaud avec un couvercle pour éviter que le dessus ne croûte.

⊛ Si vous laissez cuire le filet un peu plus longtemps, la viande risque d'être moins tendre.

Fondue de chez nous

Cette fondue de chez nous peut être dégustée avec de bons croûtons de pain de seigle de la Boulangerie Linda que vous aurez préalablement arrosé d'un filet d'huile d'olive et dorés au four. Accompagnez la fondue de quelques marinades de votre choix.

Attention, celui ou celle qui perd un croûton dans la fondue aura un gage donné par les autres convives.

Saviez-vous qu'à la fin du repas, le fond de fromage caramélisé dans le caquelon s'appelle la demoiselle?

INGRÉDIENTS
    1,1 livre (500 g) de fromage Cru du Clocher 2 ans du Fromage au Village râpé
    1,1 livre (500 g) de fromage Allegretto de la Vache à Maillotte râpé
    0,9 livre (400 g) de fromage Capri-O-lait râpé
    1 bouteille de vin blanc sec
    2 cuillères à soupe (30 ml) de cognac
    1 gousse d'ail
    1 cuillère à thé (5 ml) de fécule de maïs
    noix de muscade
    poivre

⊛ Frottez l'intérieur d'un poêlon à fondue avec la gousse d'ail et versez le vin et la fécule que vous délayez. Chauffez à feu doux et ajoutez graduellement les fromages râpés en mélangeant avec une cuillère en bois.

⊛ Continuez à mélanger jusqu'à ce que vous ayez une petite ébullition et versez le cognac, quelques coups de râpe de noix de muscade et une bonne pincée de poivre.

Gigotins d'agneau braisé du Témiscamingue dans sa réduction de Racine Barbare

L'agneau des Délices du Berger se prête magnifiquement bien à ce mode de cuisson et la sauce qui l'accompagne vient en souligner toutes les subtilités. La Racine Barbare est une mistelle de fraise et de rhubarbe dont le nom vient du latin de rhubarbe. Normand Olivier de la Ferme Nordvie peut vous en parler dans les moindres détails puisqu'il en est le père. La Racine Barbare a aussi deux mères, Sylvie et Mado, qui lui ont donné entre autres son nom de baptême. Je parle ainsi de la Racine Barbare car lorsque Normand parle de sa mistelle et de ses autres créations, le Frazil et la Fragaria, il donne l'impression qu'il nous parle de ses enfants. La Racine Barbare de la Ferme Nordvie est un alcool que je vous conseille de prendre en apéro pendant que vous finalisez votre cuisson du jarret et épaississez votre sauce. Vous pouvez transposer la recette avec du veau de grain, mais vous devez ajouter une heure de cuisson. Servez avec de petits légumes que vous aurez fait sauter à la poêle dans de l'huile d'olive.

INGRÉDIENTS

    4 gigotins d'agneau des Délices du Berger
    ½ tasse et 5 cuillères à thé (150 ml) de Racine Barbare
    1 carotte Valjack
    1 poireau
    1 oignon
    1 gousse d'ail
    1 tomate de Guyenne
    2 branches de persil frais
    1 branche de romarin ou ½ cuillère à thé (2,5 ml) de romarin séché
    6 tasses (1,5 l) de bouillon de bœuf (p. 54)
    2 onces (60 g) de beurre

✳ Lavez, coupez les légumes et colorez-les dans une poêle avec de l'huile d'olive, sauf la tomate. Colorez ensuite les jarrets. Une fois qu'ils sont bien dorés, placez-les dans une marmite avec les légumes et le fond brun, et laissez cuire deux heures à petits bouillons, couvercle fermé.

✳ Retirez ensuite les jarrets et une fois qu'ils ont tiédi, badigeonnez-les de beurre pour ensuite les faire griller une dizaine de minutes sur le barbecue ou au four à 400 °F (200 °C) pour qu'une croûte se forme sur la viande.

✳ Pendant que les jarrets sont au four, faites réduire de deux tiers le jus de cuisson et ajoutez la Racine Barbare pour réduire encore de moitié, filtrez et gardez au chaud avec un couvercle. Simultanément, faites revenir les légumes de votre choix avec de l'huile d'olive.

Gratin de pommes de terre au vieux Cru du Clocher

Ce plat tout simple et savoureux accompagne à merveille un filet de porc, un poisson ou une viande rouge que vous agrémentez d'une petite salade verte. Vous pouvez aussi ajouter de l'ail émincé dans le gratin et quelques feuilles de thym.

INGRÉDIENTS

- 1,65 livre (750 g) de pommes de terre Lunick épluchées
- 1 oignon moyen
- 6,7 onces (190 g) de fromage Cru du Clocher 2 ans du Fromage au Village râpé
- 1 ½ tasse (375 ml) de crème 35 %
- noix de muscade
- sel et poivre

- Tranchez vos pommes de terre en rondelles ainsi que l'oignon épluché.
- Dans un plat à gratin, disposez une couche de tranches de pommes de terre par dessus laquelle vous répartissez des rondelles d'oignons ainsi qu'une pincée de fromage.
- Alternez ainsi jusqu'à la fin en prenant soin de réserver la moitié du fromage pour la fin de la recette.
- Quand vous avez fini de répartir les rondelles de pommes de terre, salez et poivrez la crème et râpez un peu de noix de muscade dedans.
- Versez le mélange sur le gratin et terminez en saupoudrant le reste de fromage.
- Enfournez 40 minutes à 350 °F (180 °C) ou jusqu'à ce que les pommes de terre soient tendres.

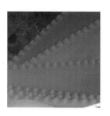

Lasagne au jambon du Grenier des Saveurs

La lasagne au jambon est une alternative à la lasagne à la viande pour les inconditionnels des pâtes comme moi. Voici donc un alibi de plus pour vous régaler de vos pâtes favorites.

INGRÉDIENTS

12 pâtes à lasagne cuites dans l'eau
8 tranches de jambon cuit du Grenier des Saveurs
0,5 livre (225 g) de fromage Cru du Clocher 2 ans du Fromage au Village ou de fromage emmenthal

Pour la sauce tomate
4 tomates de Guyenne ou 1 boîtes de tomates en dés
½ boîte de pâte de tomates
1 oignon
1 cuillère à soupe de gras de canard ou d'huile d'olive
thym
sel et poivre

Pour la béchamel rapide
2 tasses (500 ml) de lait
5 cuillères à soupe (75 ml) de farine
sel et poivre
2 cuillères à soupe (30 ml) de beurre (facultatif)

- Faites revenir l'oignon tranché dans le gras de canard et ajoutez ensuite les tomates et la pâte de tomates. Ajoutez du thym. Salez et poivrez. Laissez mijoter une dizaine de minutes.
- Entre-temps, délayez la farine avec le lait dans un poêlon, placez celui-ci sur le feu et remuez constamment jusqu'à ce que le mélange entre en ébullition.
- Retirez du feu. Salez et poivrez. Vous pouvez, en jouant sur le volume de farine, augmenter ou diminuer la viscosité de votre béchamel. Le beurre est facultatif dans cette recette car il sert habituellement à préparer un roux pour faire la béchamel et la rend, il est vrai, plus onctueuse.
- Dans un plat allant au four, déposez un lit de sauce tomate sur lequel vous posez des pâtes de lasagne. Ensuite, continuez avec une couche de béchamel, du jambon et recommencez pour terminer avec la sauce tomate sur laquelle vous saupoudrez le fromage râpé.
- Enfournez une vingtaine de minutes à 400 °F (200 °C) ou jusqu'à que le fromage soit doré.

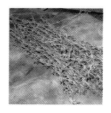

Lunick galette de pommes de terre et fromages de notre région

Cette recette est à base de pâte feuilletée. Il est possible d'en trouver d'excellente qualité dans les épiceries; j'ai d'ailleurs un faible pour celle de la marque Le Choix du Président. Je vous ferai donc grâce de la recette fastidieuse à réaliser à la maison. Faites-la dégeler la veille pour qu'elle se travaille bien. Pour la farce, je vous propose un mélange de cheddar de Nédélec, de Cru du Clocher deux ans et d'Allegretto. Les saveurs et textures différentes de ces fromages se marient très bien avec la pomme de terre Gold rush de la Ferme Lunick. Servez avec une salade verte ou une salade de tomates.

INGRÉDIENTS

    1 livre (454 g) de pâte feuilletée
    12 onces (350 g) de pommes de terre Gold rush de la Ferme Lunick cuites et écrasées
    2,6 onces (75 g) de fromage Cru du Clocher 2 ans du Fromage au Village
    2,6 onces (75 g) de fromage cheddar Capri-O-lait
    2,6 onces (75 g) de fromage Allegretto de la Vache à Maillotte
    1 œuf Richard battu
    1 jaune d'œuf Richard
    sel, poivre

- Mélangez dans un bol les pommes de terre avec les trois fromages râpés. Salez et poivrez.
- Étalez sur un plan de travail fariné la pâte feuilletée pour avoir une épaisseur d'au moins un demi-centimètre et divisez le pâton en quatre parties égales. Faites la même chose avec l'autre pâton. Si vous n'avez qu'un pâton dans votre boîte, étalez et séparez en huit parts égales.
- Sur un pâton, placez un quart du mélange de pommes de terre. Posez par-dessus un autre pâton, soudez-le à celui du dessous avec l'aide de l'œuf battu et un peu de sel. Attention, si vous mettez trop de colle (œuf battu), les pâtons ne colleront pas ensemble.
- Piquez le dessus du pâton avec une lame de couteau pour faire une cheminée d'où s'échappera la vapeur pendant la cuisson.
- Répétez trois fois les opérations pour les autres galettes et dorez finalement avec un pinceau trempé dans le jaune d'œuf.
- Enfournez à 390 °F (200 °C) pendant dix minutes et finissez la cuisson pour une vingtaine de minutes à 350 °F (175 °C) ou jusqu'à ce que la pâte soit dorée.

Lunick salade

Avez-vous deviné qu'il est question ici de Jean-Luc Baril et Nicole Maheux, propriétaires de la Ferme Lunick? Ils nous font pousser non pas des patates, mais bien des pommes de terre et quelles pommes de terre! J'ai toujours aimé la salade de pommes de terre; on peut y inclure beaucoup d'ingrédients.

INGRÉDIENTS

    1,3 livre (600 g) de pommes de terre Lunick
    0,5 livre (225 g) de poivrons rouges
    0,5 livre (225 g) de poivrons oranges
    0,4 livre (200 g) de céleri
    0,4 livre (200 g) de jambon du Grenier des Saveurs
    ¾ de tasse et 2 cuillères à thé (200 ml) de crème 35 %
    1 cuillère à soupe (15 ml) de vinaigre balsamique
    2 cuillères à soupe (30 ml) de moutarde forte
    persil frais
    sel et poivre

- Faites cuire vos pommes de terre. Quand la lame du couteau s'enfonce dedans avec une petite résistance, arrêtez la cuisson; on veut garder une certaine fermeté aux précieux tubercules.
- Laissez refroidir, puis pelez-les.
- Faites blanchir vos poivrons, c'est-à-dire passez-les une minute dans l'eau bouillante, ils seront plus facile à digérer. Détaillez-les en lamelles.
- Coupez votre céleri en morceaux et le jambon en lanières ou en cubes, selon l'épaisseur des tranches.
- Fouettez légèrement la crème avec le vinaigre balsamique et la moutarde. Salez et poivrez.
- Placez les légumes et le jambon harmonieusement dans un plat de service et arrosez de vinaigrette.

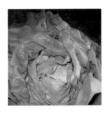

94 \ Plats principaux

Maca

Cette recette, je la dois à mon grand frère Philippe. Quand je dis grand, c'est dans tous les sens du terme, car il mesure plus de six pieds. Lorsque je fais cette recette, je le vois toujours amener son immense plat sur la table et répondre à ma mère, qui lui demande le nom de sa création : « C'est un Maca! » Imaginez le tableau : sud-ouest de la France, durant l'été, il fait 35 °C à l'ombre. Assis sur un banc dans la cuisine à l'abri de la chaleur, dans une maison aux murs d'un mètre d'épaisseur qui date de 1733, mon frère nous livre, triomphant, le fruit de son labeur. Le bonheur! En Abitibi-Témiscamingue, cette recette prend tout son sens l'été, quand nous avons accès aux tomates de Guyenne ou encore pour les gens du Témiscamingue, aux tomates de l'Éden Rouge.

INGRÉDIENTS

    4 belles tomates de Guyenne ou de l'Éden Rouge
    1 livre (454 g) de macaronis courts ou de pennes
    8 cuillères à soupe (120 ml) de mayonnaise maison (p. 34) ou de mayonnaise Hellmann's régulière
    2 boîtes de thon émietté
    3 cuillères à soupe (45 ml) d'huile d'olive
    2 cuillères à thé (10 ml) de vinaigre balsamique
    2 oignons verts
    3 tiges de persil
    sel, poivre

- Faites cuire vos pâtes al dente, c'est-à-dire qu'elles résistent à peine sous la dent. Si elles sont trop cuites, elles auront tendance à se défaire dans la salade.
- Une fois égouttées, passez-les à l'eau froide et placez-les dans un saladier.
- Ajoutez les tomates en morceaux ainsi que les autres ingrédients.
- Salez et poivrez.

96 \ Plats principaux

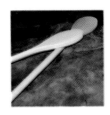

Macaronis gratinés au vieux Cru du Clocher

C'est en le chauffant que ce cheddar nous livre tous ses secrets. Le mérite revient à nos deux fromagers de Lorrainville, Christian Barrette et Hélène Lessard, qui font vieillir ce fromage pendant deux ans pour le plaisir de nos papilles.

INGRÉDIENTS

    1 livre (454 g) de macaronis longs
    0,5 livre (225 g) de jambon tranché mince du Grenier des Saveurs
    0,5 livre (225 g) de fromage Cru du Clocher 2 ans du Fromage au Village râpé
    ¾ de tasse et 2 cuillères à thé (100 ml) de crème de la Vache à Maillotte
    sel et poivre

⊛   Faites cuire les macaronis à grande eau. Égouttez-les.
⊛   Mettez une couche de pâtes dans un plat à gratin (pour cacher le fond du plat). Ajoutez ensuite des lanières de jambon et du fromage râpé. Refaites ces trois étapes pour finir avec une couche de fromage.
⊛   Enfournez 15 minutes à 400 °F (200 °C) ou jusqu'à ce que le fromage soit doré.

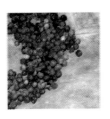

98 \ Plats principaux

FROMAGE CHEDDAR
au lait cru

Raw Milk
CHEDDAR CHEESE

Magret de canard au gianduja

Le gianduja est un chocolat dans lequel on ajoute des noisettes finement broyées. Le mélange intime de ces deux ingrédients donne en bouche une sensation de volupté. C'est, à mon avis, un des mélanges les plus sensuels qui existent en chocolaterie. Je vous suggère d'accompagner ce plat d'une purée de pommes de terre du Témiscamingue au céleri-rave. Le canard bien cuit n'est pas génial, je vous le garantis. Cependant, pour ceux qui n'aiment pas la viande saignante, je vous propose le magret tranché cru et poêlé dans le gras de canard. Essayez une cuisson médium à défaut de saignant.

INGRÉDIENTS

2 magrets de canard
2,2 livres (1 kg) de pommes de terre du Témiscamingue
1 céleri-rave
1 ½ tasse et 5 cuillères à thé (400 ml) de fond de canard ou de veau (voir p. 54)
⅓ de tasse et 1 cuillère à soupe (100 ml) de vin blanc sec
1,75 once (50 g) de gianduja au lait ou noir
½ tasse et 5 cuillères à thé (150 ml) de crème de la Vache à Maillotte
3,5 onces (100 g) de beurre
noix de muscade
sel et poivre

- Pelez les pommes de terre et le céleri-rave. Commencez par la cuisson du céleri-rave. Après 15 minutes de cuisson, plongez les pommes de terre et égouttez quand la lame d'un couteau pénètre facilement les pommes de terre.
- Pendant ce temps, donnez quelques légers coups de couteaux sur le gras des magrets et placez le côté gras dans le fond de la poêle chaude pour une dizaine de minutes. Sortez le gras à mesure qu'il fond et conservez-le pour faire la cuisine avec. Ce gras est délicieux pour rôtir des pommes de terre ou sauter des légumes.
- Toujours pendant la cuisson des légumes et du magret, réduisez de moitié le fond de canard avec le vin blanc. Vous pouvez le faire avant les cuissons si vous ne voulez pas vous sentir bousculé.
- Écrasez les légumes à l'aide d'un presse-purée. Faites chauffer la crème et le beurre au micro-ondes. Ajoutez-les à la purée de légumes. Salez et poivrez. Ajoutez, au goût, de la noix de muscade râpée. Réservez.
- Quand votre fond a réduit de moitié, ajoutez le gianduja fouetté et donnez un bouillon. Salez et poivrez.
- Retournez vos magrets dans la poêle et cuisez-les une minute côté chair, laissez reposer quelques minutes pour que la viande se détende avant de trancher.

Suggestion : une alternative est de trancher les magrets crus et de les poêler à feu vif sans mettre le gras dans la poêle, car le gras des magrets va fondre instantanément et lubrifier la poêle.

Omelette du père Flebus

Voici une omelette repas faite avec de bons produits régionaux. C'est le genre de plat unique où en fait vous pouvez carrément vider votre frigo de tout ce qu'il comporte comme restants. Soyez logique dans votre agencement; ne mettez pas du poisson avec de la saucisse. Les légumes s'agencent bien avec toutes sortes de viandes ou de fruits de mer. La règle de base est que tous les ingrédients que vous allez mettre dans votre recette soient cuits avant d'être mélangés aux œufs, car ils ne cuiront pas suffisamment dans l'omelette, à part le fromage, bien entendu, quelle que soit la sorte de fromage utilisé. Essayez avec un restant de spaghetti ou encore de riz. Pour terminer, cette omelette se déguste aussi bien froide que chaude.

INGRÉDIENTS
        6 œufs Richard
        4 tranches de jambon du Grenier des Saveurs
        1 courgette
        1 petite aubergine
        2 pommes de terre du Témiscamingue cuites et coupées en dés
        3,5 onces (100 g) de fromage Allegretto de la Vache à Maillotte
        sel et poivre

- Une fois lavées, tranchez la courgette ainsi que l'aubergine, passez-les à la poêle pour les ramollir.
- Mélangez ensuite dans un bol tous les ingrédients. Salez et poivrez.
- Versez dans une grande poêle beurrée et cuisez à feu très bas puisqu'on veut une cuisson lente à cœur.
- Couvrez la poêle, si vous le pouvez, avec une grande assiette pour garder la chaleur et quand l'omelette est presque cuite, retournez-la dans une assiette avant de la faire glisser à nouveau dans la poêle pour terminer la cuisson de l'autre côté.

102 \ Plats principaux

Panini au jambon du Grenier des Saveurs à l'Allegretto

Je m'adresse ici à celui ou à celle qui cuisine tous les jours à la maison : demandez à toute personne susceptible de vous faire un cadeau de vous acheter un grill à paninis, non pas celui à 1500 $ mais celui qui coûte environ 100 $. Je vous promets que vous ne le regretterez pas, car c'est la machine idéale pour les jours où on n'a vraiment pas envie de faire la bouffe. En plus, vous vous débarrasserez de plusieurs petits restants du frigo qu'on se demande dans combien de temps on va les jeter à la poubelle. Voici une recette qui vous prouve la simplicité de la chose.

INGRÉDIENTS

    4 pains paninis de la Boulangerie Linda
    0,4 livre (200 g) de fromage Allegretto de la Vache à Maillotte coupé en tranches minces
    8 tranches de jambon du Grenier des Saveurs
    4 cuillères à soupe (60 ml) de mayonnaise (p. 34)
    1 cuillère à soupe (15 ml) de moutarde forte
    poivre

- Tranchez les pains en deux.
- Mélangez la mayonnaise avec la moutarde et beurrez une des deux tranches intérieures de chaque pain.
- Placez sur la tranche beurrée deux tranches de jambon et le quart du fromage en tranches minces.
- Poivrez et placez sur votre grill.
- N'ayez pas peur d'appuyer fermement sur la poignée du grill pour bien écraser vos paninis, ils seront mieux cuits au centre.
- Une belle couleur dorée vous indique qu'ils sont cuits.

Vous pourrez faire des variations à l'infini avec des restants de viande que vous tranchez, y ajouter des légumes cuits ou crus. Essayez aussi toutes sortes de sauces, du pesto et bien entendu, tous les fromages que vous aimez.

Pâtes aux tomates confites de l'Éden Rouge

Quel beau mariage que celui de la tomate et des pâtes. Si vous n'êtes pas fanatique des olives, remplacez-les par du jambon émietté.

INGRÉDIENTS

> 1 livre (454 g) de nouilles aux œufs ou de pennes
> 1 livre (454 g) de tomates fraîches de l'Éden Rouge
> 1,4 once (40 g) de gros sel
> 3,5 onces (100 g) d'olives dénoyautées
> ¼ de tasse (65 ml) d'huile d'olive
> une dizaine de feuilles de basilic frais
> 2 gousses d'ail
> sel, poivre

⊛ Ébouillantez les tomates afin d'enlever la peau facilement. Coupez-les en quatre et ôtez les pépins. Placez-les sur un plat, versez quatre cuillères à thé (20 ml) d'huile d'olive dessus ainsi que le gros sel et les gousses d'ail en lamelles et enfournez deux heures à 175 °F (80 °C).

⊛ Vous pouvez faire confire les tomates à l'avance pour gagner du temps.

⊛ Cuisez les pâtes et faites revenir les tomates confites dans l'huile d'olive en ajoutant les olives et le basilic.

⊛ Salez, poivrez et versez sur les pâtes égouttées.

Pommes dauphines

La pomme dauphine est le fruit du mariage subtil de la pomme de terre et de la pâte à chou, qui une fois passée dans la friteuse, vous fait découvrir de nouvelles sensations. Cette recette est en apparence compliquée, mais si vous la suivez à la lettre, vous serez pleinement satisfait du résultat final. Elle se marie avec quantité de viandes et de poissons, en sauce ou non. Donc, il ne vous reste plus qu'à laisser aller votre imagination pour un repas hors de l'ordinaire.

INGRÉDIENTS

> 1,1 livre (500 g) de pommes de terre du Témiscamingue épluchées
> ½ tasse et 5 cuillères à thé (150 ml) d'eau
> ½ tasse et 5 cuillères à thé (150 ml) de farine
> 1 once (30 g) de beurre
> 1 pincée de sel
> 3 œufs Richard

- Mettez à cuire les pommes de terre dans une casserole d'eau et, pendant ce temps, faites bouillir l'eau avec le beurre et le sel. Quand l'eau arrive à ébullition, jetez-y la farine.
- Travaillez vivement le mélange avec une spatule en bois et séchez ensuite la pâte sur le feu en la remuant tout le temps, pendant environ une ou deux minutes.
- Ensuite, hors du feu, incorporez les œufs un à un au mélange, sinon votre pâte ne sera pas homogène.
- Écrasez vos pommes de terre cuites et mélangez-les avec la pâte à chou.
- Ensuite, prélevez des parties de pâte avec une cuillère et laissez-les tomber dans une huile à friture assez chaude. Les pommes dauphines gonflent et sont dorées une fois cuites.

Pommes de terre au four au roquefort

Pour faire une véritable pomme de terre au four, il faut prendre le temps de la cuire, ce qui peut prendre jusqu'à une heure et demie. Le temps de cuisson varie en fonction de sa grosseur. Elle se marie très bien avec un filet mignon de bœuf simplement grillé et des épinards à la crème. Si vous pensez que le roquefort peut aller au-delà de vos attentes au niveau gustatif, allez-y avec un fromage avec lequel vous êtes à l'aise de travailler. Vous pouvez aussi varier la farce que vous mettrez dans vos pommes de terre : champignons poêlés et Cru du Clocher vieilli 2 ans, chou-fleur, bacon et Allegretto, Saucisses du Lac et moutarde. En fait, tout ce qui est bon avec des pommes de terre a sa place dans cette recette.

INGRÉDIENTS

    4 pommes de terre du Témiscamingue
    1 oignon
    2,8 onces (80 g) de roquefort
    beurre ou gras de canard
    sel et poivre

- Lavez vos pommes de terre, piquez-les avec une fourchette et incisez-les en croix sur le dessus afin que, pendant la cuisson, il s'y forme une cavité.
- Badigeonnez de beurre ou de gras de canard fondu, salez et poivrez.
- Enfournez sur une plaque à 350 °F (180 °C) jusqu'à ce qu'une lame de couteau pointue pénètre sans résistance dans la pomme de terre.
- Sortez vos pommes de terre du four et répartissez dans chacune l'oignon que vous aurez caramélisé avec du beurre ou du gras de canard.
- Émiettez le roquefort et enfournez pour faire fondre le fromage.

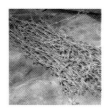

Potée aux carottes Valjack

Voici un de ces plats qui a bercé mon enfance et qui fait le bonheur de mes filles. Merci maman. Le mot potée se dit d'un apprêt cuit dans un pot de terre, mais nous utiliserons ici une bonne vieille casserole. Il s'agit d'un plat d'hiver qui est encore meilleur une fois réchauffé. J'espère que votre bonne vieille casserole est grande et a un fond épais puisque nous allons faire mijoter notre recette. Nous allons utiliser du porc et le plus amusant dans cette recette est de varier les plaisirs. La recette ci-dessous est faite à base de saucisse, de porc et de bacon, mais rien ne vous empêche d'ajouter ou de les remplacer par une bajoue fumée de chez Bavarian Meat à North Bay ou une épaisse côtelette. L'important est de ne pas oublier que la saucisse cuit plus vite qu'un jarret, donc il faut précuire les gros morceaux de jarret dans de l'eau salée une fois dorés à la poêle (pour plus de saveur). Ne vous inquiétez pas, vos pommes de terre vont se défaire, mais vous allez voir qu'avec le bouillon, ce n'est pas un inconvénient.

INGRÉDIENTS
        12 pommes de terre Lunick
        5,5 livres (2,5 kg) de carottes Valjack épluchées
        2 oignons
        10 Saucisses du Lac (à l'ancienne)
        0,4 livre (200 g) de bacon
        3,3 livres (1,5 kg) de rôti de porc dans l'épaule ou un jarret
        1 bouquet garni de 4 tiges de persil
        1 brin de romarin
        1 brin de thym
        2 feuilles de laurier
        sel et poivre

❀ Faites revenir, dans votre casserole, le rôti dans une cuillère à soupe de gras de canard ou d'huile d'olive.

❀ Ajoutez les saucisses et, une fois les viandes sorties de la casserole, faites tomber les oignons. Quand les oignons sont translucides, remettez le rôti et versez de l'eau pour le recouvrir. Laissez cuire une heure.

❀ Ajoutez tout le reste des ingrédients sauf la saucisse pour une autre heure de cuisson.

❀ Une demi-heure avant la fin, ajoutez la saucisse que vous glissez sous les autres ingrédients et finissez la cuisson couvercle ouvert pour laisser évaporer un peu de jus. Salez et poivrez.

Pour 8 personnes

Poulet fermier lustré au beurre de pommes au miel du Verger des Tourterelles au barbecue

(avec frites du Témiscamingue et compote de pommes)

Bien entendu, quand je parle de barbecue, je parle de l'engin qui se trouve sur votre terrasse et non du mélange d'épices du même nom. L'idéal pour faire cette recette est de vous procurer un poulet élevé à la ferme avec du vrai grain. Quel bon goût, une volaille qui a eu le temps de se faire de vrais muscles avec des ingrédients naturels sans hormones ni antibiotiques. En plus, vous aurez quelque chose à mâcher, car il faut reconnaître que le poulet industriel est aussi consistant qu'une émulsion grasse protéinée. Le secret du moelleux de la viande réside dans la basse température de cuisson, donc pas directement sur la flamme sinon, vous allez incendier votre animal; la peau contient du gras qui, au contact de la flamme, flambe. L'alternative est de placer votre poulet dans une lèchefrite, ce qui vous permettra de l'arroser de temps en temps pour avoir une croûte luisante et dorée.

INGRÉDIENTS

1 poulet d'au moins 6,5 livres (3 kg) (Oui, ça existe!)
thym et romarin, frais si possible
sel, poivre
6,5 livres (3 kg) de pommes de terre Gold rush de la Ferme Lunick épluchées
12 pommes
beurre de pommes du Verger des Tourterelles
5 onces (150 g) de sucre
1 cuillère à soupe (15 ml) de beurre
cannelle

- Commencez par cuire le poulet, car c'est lui qui va prendre le plus de temps à cuire.
- Frottez-le avec le thym et le romarin que vous aurez hachés au couteau. Salez, poivrez et badigeonnez de beurre de pommes à l'intérieur et à l'extérieur. Envoyez-le au barbecue à 400 °F (200 °C) et comptez 40 minutes de cuisson par kilogramme de viande. Mettez le poulet dans une lèchefrite et posez-la du côté où le brûleur n'est pas allumé.
- Le poulet va cuire par convection de la chaleur; arrosez-le de son jus de temps en temps pour avoir une belle finition.
- Pour les frites, tranchez vos pommes de terre en rondelles et détaillez ensuite des bâtonnets fins que vous plongez une première fois dans la friteuse à 330 °F (170 °C) pendant cinq à huit minutes pour les cuire, sans les dorer. Avant de passer à table, passez-les trois minutes à 375 °F (190°C) pour les dorer.
- Épluchez les pommes, coupez-les en quartier et poêlez-les dans le beurre. Finissez la cuisson des pommes avec le sucre et un soupçon de cannelle. Servez chaud avec les frites et le poulet.

114 \ Plats principaux

Rosti

Voici une manière simple et originale de préparer des pommes de terre. Les rostis se mangent avec une fourchette, bien entendu. Je vous suggère une généreuse portion de crème sûre et de belles tranches de saumon fumé ou encore une bonne saucisse grillée pour les accompagner.

INGRÉDIENTS

    8 pommes de terres du Témiscamingue
    Beurre ou graisse de canard
    Sel et poivre

- À l'avance, faites cuire vos pommes de terre dans l'eau salée, sans les éplucher.
- Quand la pointe d'un couteau s'enfonce sans résistance dans la pomme de terre, elle est cuite.
- Égouttez et laissez les pommes de terre jusqu'au lendemain dans une assiette sur le comptoir. Les pommes de terre perdent ainsi un maximum de leur eau.
- Le lendemain, ôtez la peau des tubercules et râpez-les avec une grosse râpe pour les coucher ensuite dans une poêle beurrée. Tassez-les sur une épaisseur d'environ deux centimètres et demi. Salez, poivrez et dorez le rosti des deux côtés.

116 \ Plats principaux

Pour 4 personnes

Salade abitibienne tiède

Nous avons la chance d'avoir assez de produits régionaux pour nous payer le luxe de créer une salade pour chaque comté.

La subtilité de la salade abitibienne repose sur la saucisse nommée Kolbassa, fabriquée à Val-d'Or par la Charcuterie du Nord, propriété de Rita Wesner. Elle contient beaucoup moins de gras que ses concurrentes et y gagne en texture et en goût.

On peut aussi manger cette salade froide.

INGRÉDIENTS

> 1,3 livre (600 g) de pommes de terre de l'Abitibi
> 0,9 livre (400 g) de saucisses Kolbassa
> 2 oignons verts
> 2 oeufs Richard cuits durs
>
> *Vinaigrette*
> 2 cuillères à soupe de vinaigre de vin
> 4 cuillères à soupe d'huile d'olive
> 1 cuillère à thé de moutarde forte de Dijon
> sel, poivre

- Cuisez les pommes de terre avec leur peau. Il faut qu'elles restent un peu fermes puisqu'il s'agit d'une salade et qu'il ne faut pas se retrouver avec de la bouillie.
- Coupez-les en gros cubes dans un saladier et ajoutez la Kolbassa en gros morceaux.
- Coupez les oeufs en deux, émincez les oignons verts et mélangez ensemble tous les ingrédients de la vinaigrette. Nappez ensuite sur la salade.

Salade tiède du printemps

Voici un plat unique, qui est une variante de la salade de ma mère. Je vous donne la recette avec des endives, mais essayez-la aussi avec de la chicorée, de la mâche, de la frisée ou encore, si vous êtes à la campagne au début du printemps, avec des feuilles de pissenlit avant que le bouton de la fleur ne soit formé, car les feuilles sont trop amères. La variante aux feuilles de pissenlit est celle qui me plaît le plus. Non seulement elle est savoureuse, mais elle me rappelle l'époque où enfant, j'allais cueillir les précieuses feuilles avec mon petit frère Christophe pour nourrir mes lapins et ma famille.

INGRÉDIENTS

4,4 livres (2 kg) de pommes de terre du Témiscamingue épluchées
2 gros oignons
3 livres (1,3 kg) d'endives
2,2 livres (1 kg) de flanc de porc frais en tranches
(votre flanc de porc doit contenir non seulement du gras, mais aussi de la viande)
½ tasse (125 ml) vinaigre de vin
sel et poivre

- Coupez les pommes de terre en morceaux, environ de la grosseur d'un œuf de caille et faites-les bouillir dans de l'eau salée. Il faut qu'elles restent fermes. Pendant ce temps, coupez vos tranches de flanc pour en faire des cubes, environ larges comme votre doigt puis faites-les cuire dans une poêle à fond épais.
- Sortez la graisse de la poêle à mesure que celle-ci fond. Lorsque vos lardons seront dorés et croustillants, il ne devra vous rester qu'un fond de graisse dans la poêle.
- Faites tomber vos oignons dans la poêle avec les lardons et déglacez avec une demi-tasse de vinaigre.
- Égouttez vos pommes de terre et laissez-les dans le chaudron.
- Placez vos endives tranchées sur les pommes de terre et terminez en vidant tout le contenu de la poêle sur les endives.
- Remettez le couvercle sur le chaudron une minute avant de servir pour que l'endive ramollisse et que tous les parfums se mélangent.

Steak au sirop de bouleau et sa ribambelle de primeurs

Je vous laisse le choix du steak, mais je vous conseille de ne pas le cuire au-delà de médium, car la viande perd alors tout son goût. Le sirop de bouleau nous vient de l'érablière Au P'tit Calain de Fugèreville. Françoise et Gilles entaillent les bouleaux comme on le fait avec les érables, sauf que le résultat final donne un sirop très foncé, moins sucré que le sirop d'érable avec une saveur balsamique, de mélasse caramélisée et de notes de pommes cuites en finale. Voici le produit idéal pour créer des sauces et des vinaigrettes qui sortent des sentiers battus. Françoise me dit aussi que le sirop est excellent pour mariner des viandes.

INGRÉDIENTS

        4 steaks de votre choix
        4 pommes de terre du Témiscamingue
        2 belles courgettes de la Ferme Lunick
        4 carottes Valjack
        16 asperges
        1 livre (454 g) de champignons frais pour la sauce
        1 tasse (250 ml) de fond de bœuf (p. 54)
        ½ tasse (125 ml) de crème 35 % de la Vache à Maillotte
        4 cuillères à soupe (60 ml) de sirop de bouleau de l'érablière Au P'tit Calain
        sel, poivre

⊛ Démarrez la sauce en premier, faites réduire le fond de bœuf à la moitié de son volume, ajoutez la crème, faites bouillir et ajoutez enfin le sirop de bouleau.

⊛ Faites bouillir à feu doux une dizaine de minutes. Salez, poivrez et réservez avec un couvercle dessus.

⊛ Épluchez les légumes, sauf les courgettes, et lavez-les. Tranchez les champignons, les carottes dans le sens de la longueur (c'est plus beau) et coupez les pommes de terre en morceaux. Faites revenir tous vos légumes séparément dans l'huile d'olive, du gras de canard ou du beurre. Réservez-les au chaud.

⊛ Pendant ce temps, faites chauffer du beurre dans une poêle à feu vif et couchez-y vos steaks selon le degré de cuisson que vous aimez. Personnellement, mon steak se fait donner un bisou de chaque côté et il ressort aussitôt de la poêle.

⊛ Dressez le tout dans une assiette chaude et nappez d'un filet de sauce.

Tagliatelles à la saucisse dijonnaise de Michel Peluso

Les Saucisses Peluso sont faites de chair de porc assaisonnée de diverses manières. Ma préférée : la dijonnaise. La recette que je vous présente ici est simple et rapide à faire, ce qui ne lui enlève rien de ses qualités gustatives. Elle est intéressante à intégrer à un buffet de pâtes ou encore, parsemez-la à la toute fin d'Allegretto râpé et envoyez-la se prélasser quelques minutes sous le gril de votre four.

INGRÉDIENTS

1 livre (454 g) de tagliatelles
1 livre (454 g) de saucisses Peluso à la dijonnaise
3,5 onces (100 g) de fromage Allegretto de la Vache à Maillotte râpé
5 cuillères à soupe (75 ml) de vin blanc sec
1 oignon vert
sel, poivre

❂ Ôtez la saucisse du boyau et faites-la revenir dans une poêle. Lorsqu'elle est dorée, retirez-la du réchaud, arrosez de vin blanc, salez et poivrez au goût.

❂ Pendant ce temps, faites cuire les tagliatelles dans l'eau. Égouttez-les une fois cuites et versez dans la poêle sur la farce. Ajoutez le fromage et faites sauter une minute avant de servir.

❂ Pour la touche finale, parsemez de l'oignon vert émincé sur les assiettes.

Pour 4 personnes

Tartare de bison d'Earlton cru et ses pommes de terre frites

Je vous livre ici une de mes recettes préférées que je mange régulièrement depuis aussi longtemps que je me souvienne. Normalement, quand on dit tartare, on parle de viande émincée, mais le tartare en Belgique est servi haché dans la plupart des restaurants. Si vous n'avez jamais goûté le bison d'Earlton de Pierre Bélanger, essayez-le, car il est tout simplement savoureux. En plus, comme il s'agit d'une viande plus maigre que le bœuf, elle se prête très bien à cette préparation. Si vous n'avez pas de bison sous la main, le bœuf est une excellente alternative. Comme la viande est crue dans cette recette, il faut absolument demander à votre boucher de vous hacher une pièce de viande très maigre et de la préparer tout de suite après l'achat. Vous pouvez hacher au couteau la viande à la maison si vous êtes équipé. Par contre, il vous faut impérativement de la viande fraîche. De la viande congelée aura une drôle de texture en bouche et rendra son jus. Enfin, si vous n'aimez pas les frites, essayez-le sur une baguette de pain croustillante.

INGRÉDIENTS
        2,2 livres (1 kg) de bison haché
        8 cuillères à soupe (120 ml) de mayonnaise (p. 34)
        4 cuillères à soupe (60 ml) de sauce Worcestershire (de marque Lea & Perrins)
        2 échalotes
        5 brins de persil
        5 petits cornichons surs
        3 cuillères à soupe (45 ml) de câpres égouttées
        sauce tabasco
        sel et poivre

⊛   Hachez finement les cornichons, les câpres et le persil.
⊛   Déposez le bison haché dans un saladier et versez la mayonnaise, la sauce Worcestershire, les échalotes, les cornichons, les câpres, le persil, quelques gouttes de tabasco, un peu de sel et de poivre. Mélangez soigneusement les ingrédients et placez tout de suite au frigo pour servir dans les deux heures qui suivent.
⊛   Si vous désirez corser la recette, bien à vous de jouer avec les quantités de condiments. Pour les frites, libre à vous d'y aller avec des frites maison ou surgelées. Je vous suggère d'accompagner ce plat d'une bonne salade verte.